IMPRENSA NEGRA NO BRASIL DO SÉCULO XIX

Dados Internacionais de Catalogação na Publicação (CIP)
(Câmara Brasileira do Livro, SP, Brasil)

Pinto, Ana Flávia Magalhães
  Imprensa negra no Brasil do século XIX / Ana Flávia Magalhães Pinto. – São Paulo : Selo Negro, 2010. – (Coleção Consciência em debate / coordenada por Vera Lúcia Benedito)

Bibliografia.
ISBN 978-85-87478-41-2

1. Discriminação racial 2. Imprensa - Brasil - História 3. Imprensa - Brasil - Historiografia 4. Imprensa e política 5. Negros - Brasil I. Benedito, Vera Lúcia. II. Título. III. Série.

10-08422   CDD-079.0981

Índice para catálogo sistemático:
1. Brasil : Imprensa negra : História   079.0981

Compre em lugar de fotocopiar.
Cada real que você dá por um livro recompensa seus autores
e os convida a produzir mais sobre o tema;
incentiva seus editores a encomendar, traduzir e publicar
outras obras sobre o assunto;
e paga aos livreiros por estocar e levar até você livros
para a sua informação e o seu entretenimento.
Cada real que você dá pela fotocópia não autorizada de um livro
financia um crime
e ajuda a matar a produção intelectual de seu país.

IMPRENSA NEGRA NO BRASIL DO SÉCULO XIX

Ana Flávia Magalhães Pinto

Consciência em debate

IMPRENSA NEGRA NO BRASIL DO SÉCULO XIX
Copyright © 2010 by Ana Flávia Magalhães Pinto
Direitos desta edição reservados por Summus Editorial

Editora executiva: **Soraia Bini Cury**
Editora assistente: **Salete Del Guerra**
Assistente editorial: **Carla Lento Faria**
Coordenadora da coleção: **Vera Lúcia Benedito**
Projeto gráfico de capa e miolo: **Gabrielly Silva/Origem Design**
Diagramação: **Acqua Estúdio Gráfico**
Impressão: **Sumago Gráfica Editorial**

Selo Negro Edições
Departamento editorial
Rua Itapicuru, 613 – 7º andar
05006-000 – São Paulo – SP
Fone: (11) 3872-3322
Fax: (11) 3872-7476
http://www.selonegro.com.br
e-mail: selonegro@selonegro.com.br

Atendimento ao consumidor
Summus Editorial
Fone: (11) 3865-9890

Vendas por atacado
Fone: (11) 3873-8638
Fax: (11) 3873-7085
e-mail: vendas@summus.com.br

Impresso no Brasil

Encontrei minhas origens
em velhos arquivos
.... livros
Encontrei
em malditos objetos
troncos e grilhetas
encontrei minhas origens
no leste
no mar em imundos tumbeiros
encontrei
em doces palavras
...... cantos
em furiosos tambores
.... ritos
encontrei minhas origens
na cor de minha pele
nos lanhos de minha alma
em mim
em minha gente escura
em meus heróis altivos
encontrei
encontrei-as enfim
me encontrei.

Oliveira Silveira

Para Sara e Luiz, minha mãe e meu pai,
símbolos da resistência negra manifesta
na simples grandeza de existir.

Agradecimentos

Apesar dos momentos de solidão produtiva, não considero o processo de escrita um ato individual. Foram incontáveis as colaborações e interlocuções, sem as quais nada do que é apresentado neste livro seria possível. Sou infinitamente grata a minha mãe, Sara Ramos Magalhães Pinto, e a meu pai, Luiz Pereira Pinto, pelos ensinamentos sobre a vida, a dedicação infalível e o imenso carinho. A minhas irmãs Luana e Mariana, que, na insistência em solicitar minha companhia, demonstraram sua confiança em mim.

Registro aqui minha gratidão infinita a Edson Lopes Cardoso e Lunde Braghini Jr., pessoas que apareceram em minha vida e me apresentaram mais um caminho para a luta cotidiana pela dignidade e respeito entre as pessoas.

Realço ainda meu "muito obrigada" a Eleonora Zicari Costa de Brito, orientadora do Mestrado em História na Universidade de Brasília, que aceitou o desafio do encontro com a imprensa negra do século XIX e compartilhou a alegria e as angústias da escrita do texto que originou esta obra, bem como às professoras Denise Botelho e Tereza Negrão. Agradeço ainda ao Conselho Nacional de Desenvolvimento Científico e Tecnológico (CNPq) pela bolsa de estudo.

Saúdo a rede de amigos e malungos que me apoiaram nas tantas andanças e paradas da pesquisa documental. A Fernanda Felisberto, Raul Cláudio, Maria Cláudia Cardoso, Márcio André, Leonardo Bento, Ana Luiza Pinheiro Flauzina, Lia Maria dos Santos, quando estive no Rio de Janeiro. A Martha Rosa Queiroz e Adriana Maria Paulo da Silva, que em Recife me conduziram à coleção do jornal pernambucano *O Homem – Realidade Constitucional ou Dissolução Social*. Ao grande mestre e amigo Oliveira Silveira, que gentilmente garantiu as condições indispensáveis para meu encontro com *O Exemplo*. A Vera Lopes e aos amigos Horácio e Camila, seus filhos, que me acolheram em Porto Alegre. À querida amiga Thatiane Silva, que me acompanhou na busca do material e torceu pela finalização da pesquisa. Não poderia me esquecer da equipe da Biblioteca Nacional, para a qual dedico minha gratidão na figura de Monique da Silva Cabral, que cuidou da preparação do material da pesquisa.

E como essas redes necessariamente extrapolam o âmbito da pesquisa, agradeço também à fraternidade de Cristiane Pereira, Eliane Cavalleiro, Eliete da Costa Marin, Guilherme Neves Pinto, Iraneide Soares, Lino Vaz Muniz, Lúcia Franco Pedrosa, Márcia Regina Lopes, Maria Helena Vargas, Maria Lúcia Braga, Raíssa Gomes, Sabrina Faria Horácio, Simone Magalhães e Tatiane Cosentino Rodrigues, bem como ao Pedro e ao Washington, da secretaria da pós-graduação. Ativistas do EnegreSer – Coletivo Negro no Distrito

Federal e Entorno – merecem destaque especial, pelo compartilhar de projetos e realizações importantíssimas. Foram tantos os incentivos, e as contribuições, incríveis.

Agradeço, enfim, a minha ancestralidade, mulheres e homens que, em sua realidade visível e invisível, contribuíram para a realização desta empreitada.

Sumário

Introdução 15

1. **Ecos de uma Cidade Negra: *O Mulato ou O Homem de Cor, Brasileiro Pardo, O Cabrito* e *O Lafuente*** 23
   Os pasquins negros: quando a cor da pele virou notícia
   na Regência 23
   Tipografia Fluminense de Brito: um espaço de redes negras
   na Corte 31
   Argumentos e contra-argumentos, porque de polêmicas eram
   feitos os pasquins 41

2. **Do Leão do Norte seguiu a notícia: "Realidade constitucional ou dissolução social"** 53
   O Recife no tempo de *O Homem* falar 53
   A cor na política: idas e vindas da resistência nas páginas
   de *O Homem* 71
   Educação cívica, denúncia e exaltação dos exemplos –
   As práticas sociopedagógicas de *O Homem* 88

3. Democracia racial em nome do progresso da pátria 103

O avanço da memória rumo ao passado: a imprensa negra
paulista no século XIX 103

A Pátria e a viabilidade do sonho de República para um órgão
dos homens de cor 106

Desilusões e desafios na escrita de *O Progresso* 123

**4. *O Exemplo*: negras lições que não podem passar em
branco** 137

Numa barbearia nasceu um jornal 137

A folha como tribuna do combate ao racismo 144

Divergências sim, mas em defesa da educação 156

Quando o treze de maio era "dia de negro" 166

Fontes e referências bibliográficas 173

Introdução

A atuação organizada de grupos e indivíduos contra a discriminação racial, de forma ampla, bem como o estabelecimento de veículos de imprensa negra, em particular, têm sido fenômenos comumente localizados no século XX. Uma rápida observação indica que considerável parcela dos estudos desenvolvidos no e sobre o Brasil tem realçado as iniciativas levadas a cabo a partir do século passado em detrimento de outras antecedentes[1]. Assim, os feitos da resistência negra livre da escravidão, independentemente de suas intenções, foram cada vez mais associados às décadas posteriores ao fim do sistema escravista. De uma parte, o reconhecimento alcançado pelos jornais negros paulistas do início da década de 1910; pelas atividades da Frente Negra Brasileira, nos anos de 1930; pelo Teatro Experimental do Negro, em sua

....

1. Entre os vários trabalhos existentes, podem ser citados: Domingues (2004 e 2008), Bastide (1973), Fernandes (1978), Ferrara (1986), Moura (1992), Pires (2006), Silva (2004) e Souza (2005).

atuação dentro e fora dos palcos, nos anos 1940; pelas produções do Movimento Negro Unificado, potencializadas por sua fundação em 1978, e por tantos outros fatos, tudo isso serviu como estímulo a estudos que lhes mantiveram distantes do esquecimento. Por outro lado, na maioria dos trabalhos voltados para períodos anteriores, tem prevalecido o interesse por experiências e formas de resistência desempenhadas pelos africanos e seus descendentes submetidos ao regime escravista no Brasil na condição de cativos.

Para além de se reconhecer a seriedade e legitimidade de vários desses estudos, as lacunas deixadas – muito em virtude da restrição a essas áreas de interesse – têm de ser admitidas e enfrentadas (Negro e Gomes, 2006). Inúmeras ocorrências permanecem à espera de um exame detido, que poderá até mesmo revelar outras conexões entre diferentes momentos e grupos negros. É preciso, portanto, encarar o problema colocado por Flávio Gomes, quando afirma:

> De uma maneira geral, as lutas e as organizações negras no Brasil do século XX têm sido analisadas sob uma perspectiva a-histórica. Acusados de fracos, inconsistentes e sem continuidade, associações e movimentos sociais negros no Brasil republicano foram desenhados em muitos estudos com um processo de luta antirracista: ora desdobramento linear de um abolicionismo inacabado, ora tradição romantizada das lutas escravas, tipo quilombos. [...] Enfatiza-se, assim, uma visão de *vazios* e/ou *descontinuidades*, que supostamente só haveria nestes movimentos e não em outros, como por exemplo, nas lutas operárias e nos partidos políticos. (Gomes, 2005a, p. 49)

Imprensa negra no Brasil do século XIX

Trata-se de um questionamento de longo alcance, pois, ao tempo em que destaca a urgência de um tratamento efetivamente histórico a essas ocorrências, também impulsiona dúvidas quanto a situações precedentes. Foram questões dessa natureza que serviram de estímulo para empreender as reflexões sobre a existência e a atuação de jornais negros no século XIX.

Tema da minha pesquisa de mestrado no Programa de Pós-Graduação em História da Universidade de Brasília, em 2006, esses jornais me levaram à historiografia ainda na graduação em Jornalismo. Em 1999, quando apresentada a um fac-símile do pasquim *O Homem de Cor*, pelo professor Lunde Braghini Jr., fiquei surpresa com aqueles textos datados de 1833 que traziam denúncias de discriminação de ordem racial, escritos por homens livres mulatos, pardos – negros, portanto. Dirigidas a outros cidadãos da Corte, que teriam a mesma aparência dos redatores, aquelas palavras afirmavam talentos e virtudes e pretendiam contribuir para a solução de problemas enfrentados por aquelas pessoas – realidade até então pouco conhecida por mim, familiarizada apenas com sujeitos escravizados...

Daquela admiração, passaram-se anos, tempo em que fui encontrando – ou fui encontrada por – outros periódicos com características muito próximas, mas publicados por pessoas diferentes, em épocas e locais igualmente distintos. No fim das contas, a amostra formou-se de oito títulos que, apesar dos intervalos, compreendem o período de setembro de 1833 a agosto de 1899. Os jornais negros analisados, aqui em sua ortografia atualizada, respondem à seguinte ordem de lançamento: *O Homem de Cor ou O Mulato*, *Brasileiro Pardo*, *O Cabrito* e *O Lafuente*, do Rio de Janeiro (RJ), em

1833; *O Homem: Realidade Constitucional ou Dissolução Social*, de Recife (PE), em 1876; *A Pátria – Órgão dos Homens de Cor*, de São Paulo (SP), em 1889; *O Exemplo*, de Porto Alegre (RS), de 1892; e *O Progresso – Órgão dos Homens de Cor*, também de São Paulo (SP), em 1899.

Curiosamente, muitos dos recursos argumentativos e das características nesses títulos tinham sido encontrados por Roger Bastide nos jornais negros paulistas das décadas de 1920 e 1930, o que não parecia suficiente para justificar a proposta de incorporação daqueles jornais oitocentistas ao panorama da imprensa negra no Brasil. A fim de verificar a legitimidade da proposta, busquei entender como se deu o processo de formação da imprensa brasileira.

Diferentemente do que se passou em outras colônias americanas – a exemplo do Peru, do México e dos Estados Unidos –, onde a dominação colonial, em larga medida, foi assegurada graças a um investimento na imprensa escrita e na educação, a vasta faixa do império colonial português na América, que daria origem ao Brasil, só contaria com a imprensa pouco antes de sua independência política.

Não por acaso, o marco de fundação da imprensa brasileira acabou sendo confundido com o ano da autorização de seu funcionamento, que se deu pelo decreto do príncipe regente D. João VI, em maio de 1808. A consagração da novidade, mesmo assim, ficou sujeita a outra polêmica, dessa vez entre o *Correio Braziliense* e a *Gazeta do Rio de Janeiro*. O primeiro periódico, dirigido e redigido por Hipólito da Costa, em Londres, apareceu a 1º de junho de 1808, três meses antes do lançamento da *Gazeta* na Corte, escrita por portugueses. Nessas condições, integrado à imprensa brasileira pelo fato de dedicar-se aos problemas do Brasil e ter circula-

Imprensa negra no Brasil do século XIX

ção direcionada a essa região, o *Correio Braziliense* foi tido como inaugurador (Sodré, 1999, p. 22-23). Não fosse esse argumento o mais convincente, e a força maior recaísse sobre o local de produção do impresso, tal representatividade ficaria a cargo da *Gazeta do Rio de Janeiro*.

Essa controvérsia, aparentemente inocente, ilustra bem os embates em torno dos quais se construiu o conceito de imprensa brasileira. Seguindo a sugestão de Antonio Candido (2000) presente em suas reflexões sobre a formação do sistema literário brasileiro, recorri às categorias "autor", "obra" e "público", na qualidade de momentos da produção comunicativa, como estratégia de explicação. Assim, a noção de pertencimento orientaria essas três instâncias de acordo com suas especificidades. O reconhecimento de um jornal como manifestação da imprensa brasileira passaria pelos laços do periódico com o espaço em questão: feito por brasileiros; em solo brasileiro; direcionado a um público brasileiro; em estreito diálogo com esse público; tratando de assuntos brasileiros.

Como mostraram a história e a historiografia da imprensa brasileira, a depender dos interesses, da ocasião e das perspectivas, tais requisitos não precisaram ser contemplados em sua totalidade para que um impresso fosse afirmado como tal. Mesmo assim, essas marcas de origem não tiveram de ser descartadas ou consideradas ilegítimas. Desse ponto de vista formal, imprensa negra, imprensa brasileira, imprensa abolicionista, imprensa operária ou imprensa feminina seriam somente expressões compostas em que o adjetivo sugere possibilidades de entendimento, às quais também se conectam questões relativas à autoria, ao público e aos objetivos – jornais feitos por negros; para negros; veiculando assuntos de interesse das populações negras. Eis, então, o conceito utilizado neste livro.

Identificar tais características resultou, por outro lado, no reconhecimento de condições propícias à emergência desses veículos da imprensa negra, o que, por sua vez, levou à distinção de um detalhe precioso: a atuação de um razoável número de negros letrados capazes de, em diferentes momentos do século XIX, gerar e absorver as ideias emitidas naqueles jornais, bem como disseminá-las entre os pares iletrados. Com intuito de apresentar um panorama daqueles jornais, a pesquisa acabou levantando informações sobre homens negros livres acerca de questões caras a seu cotidiano antes da virada do século XX.

O Capítulo 1, "Ecos de uma Cidade Negra: *O Mulato ou O Homem de Cor*, *Brasileiro Pardo*, *O Cabrito* e *O Lafuente*", aborda o material dos pasquins negros publicados no Rio de Janeiro de 1833, no período regencial. Com base em dados sobre personalidades envolvidas na produção desses periódicos e da imprensa fluminense – como Francisco de Paula Brito e Maurício José de Lafuente –, mostra-se uma rede de solidariedade negra à qual interessavam a conservação de garantias individuais e também a construção de uma voz coletiva direcionada ao fortalecimento do grupo. As polêmicas criadas em torno dos acontecimentos da política imperial serviram ainda como espaço singular para identificar como os redatores colocavam os ideais iluministas e liberais de democracia a serviço da luta pela igualdade de todos os cidadãos, independentemente da cor da pele.

Saindo da Corte Imperial, o estudo centra-se em Recife, onde se deu a publicação dos doze números do jornal *O Homem* nos primeiros meses do ano de 1876. O Capítulo 2,

Imprensa negra no Brasil do século XIX

"Do Leão do Norte seguiu a notícia: 'Realidade constitucional ou dissolução social'", traz o exame da vasta argumentação desenvolvida naquele impresso acerca de assuntos de interesse da população negra local, fossem indivíduos livres, libertos ou escravizados. Além de ser, até onde se sabe, o primeiro jornal negro de Pernambuco, *O Homem* é tido como primeiro periódico abolicionista daquela província. Apresentando um nível técnico bem mais avançado que o disponível nos pasquins fluminenses, o periódico conseguiu também articular um sofisticado repertório intelectual a fim de desbancar as teorias raciais que postulavam a superioridade das raças "sem cor" e a inferioridade das raças "de cor". Ao lado da defesa e do fortalecimento dos "pretos e pardos", categorias empregadas no próprio jornal, reconhecia-se a importância dos povos indígenas como parceiros na luta contra o "preconceito de cor" no Brasil.

O Capítulo 3, "Democracia racial em nome do progresso da pátria", ocupa-se de dois exemplares da imprensa negra paulista ainda no século XIX. Pouco depois do fim da escravidão, mas não dependente desse evento, o jornal *A Pátria* apareceu em São Paulo em 1889. Sua fala, marcada pelo reconhecimento e o compromisso com seus antepassados, pais, avós e pares recém-libertos do escravismo, destacou-se também por incontestável simpatia para com o republicanismo, entendido como o passo seguinte rumo à extinção do "preconceito de cor". Curiosamente, no transcurso de dez anos, tais expectativas assumiriam a forma de desilusões nas páginas de *O Progresso*, de autoria de outro grupo. A proclamação da República não garantira melhores condições de vida para os cidadãos negros, em vez disso o quadro agravou-se. Por esse motivo, a folha optava por não se vincular a qualquer das disputas políticas hegemônicas, voltando-se para o fortalecimento da luta dos negros em seu próprio benefício.

Por fim, no Capítulo 4, "*O Exemplo*: negras lições que não podem passar em branco", a discussão gira em torno do primeiro jornal negro do Rio Grande do Sul, iniciado em 1892. Desde o primeiro contato com o número de lançamento desse periódico, pude notar a multiplicidade das questões tratadas como alvo de grande interesse para a população negra gaúcha, impressão comprovada e ampliada com a posterior leitura dos outros números. Ali se visualizam os recursos argumentativos adotados pelos jornalistas para dar legitimidade a seus pronunciamentos, bem como detalhes da vida sociocultural das comunidades negras gaúchas.

Como é fácil prever, a abordagem deste livro não esgota a riqueza de detalhes da documentação. De todo modo, nesses novos tempos de lutas contra o racismo, com a implementação das Leis ns. 10.639, de 2003, e 11.645, de 2008, que tornaram obrigatório o ensino de história dos afro-brasileiros e indígenas na rede brasileira de ensino, espero oferecer ao leitor informações valiosas que sirvam a seus próprios questionamentos.

1
Ecos de uma Cidade Negra:
O Mulato ou O Homem de Cor, Brasileiro Pardo, O Cabrito e O Lafuente

OS PASQUINS NEGROS: QUANDO A COR DA PELE VIROU NOTÍCIA NA REGÊNCIA

Foi num sábado de 1833, quando a abdicação de D. Pedro I era ainda evento recente e a criação da Guarda Nacional, chamada "milícia cidadã", uma das tantas questões a mobilizar os diversos setores da população. Na intensa agitação em torno dos valores da democracia moderna, traço que marcou o período regencial[2], vivia-se um momento de in-

....

2. Período de intensa agitação política e popular, marcado pelo governo provisório instituído após a abdicação de D. Pedro I, em abril de 1831, em virtude da menoridade do príncipe sucessor. Em meio às disputas entre os partidos restaurador, exaltado e moderado, este último alcançou o controle do poder, tanto na Regência Trina Permanente (1831--1835) quanto na Regência Una (1835-1840). Perdurou até julho de 1840, quando D. Pedro II foi emancipado aos catorze anos de idade e assumiu o trono, iniciando o Segundo Reinado. Para mais informações sobre o período, consultar Castro (2004) e Morel (2003).

certezas e reafirmação prematura da cidadania brasileira. Estreitamente ligado a tudo isso, o primeiro jornal da imprensa negra no Brasil, o pasquim *O Homem de Cor*, surgiu na capital do Império, a 14 de setembro, da Tipografia Fluminense de Paula Brito, loja instalada no Largo do Rocio, cuja presença negra era bem marcante. Importava questionar as efetivas condições de realização daquelas promessas de liberdade que havia tempos circulavam e ganhavam forma nas mentes de livres e libertos – sem falar dos escravizados.

O cabeçalho dos cinco números do jornal, publicados entre setembro e novembro, trazia uma apresentação esquemática desse debate pulsante: no lado esquerdo, a transcrição do parágrafo XIV do artigo 179 da Constituição de 1824: "Todo o Cidadão pode ser admitido aos cargos públicos civis, políticos e militares, sem outra diferença que não seja a de seus talentos e virtudes"; no direito, reproduzia um trecho do ofício do Presidente da Província de Pernambuco, de 12 de junho de 1833: "O Povo do Brasil é composto de Classes heterogêneas, e debalde as Leis intentem misturá-las ou confundi-las, sempre alguma há de procurar, e tender a separar-se das outras, e eis um motivo a mais para a eleição recair nas classes mais numerosas" (*O Homem de Cor*, n. 1, p. 1).

Ao longo desse texto oficial que chegou aos cidadãos da Corte, movido pelo temor do avanço dos "homens de cor" entre os postos de destaque, o presidente Manuel Zeferino dos Santos propunha a divisão da classe dos cidadãos de acordo com a tonalidade da pele, de modo que isso pautasse a distribuição diferenciada e hierarquizada de cargos públicos. O objetivo era instituir uma forma mais eficaz de controle do poder, em que, no caso da Guarda Nacional, as

Imprensa negra no Brasil do século XIX

altas posições não fossem ocupadas pelos "homens de cor", a "classe mais numerosa", por isso ameaçadora... Acontece que, se a manifestação desses incômodos e propostas estava autorizada, os contrapontos oferecidos pela população negra livre e liberta não se intimidavam facilmente. A deixa para mais uma contestação estava dada. A novidade vinha apenas das especificidades do veículo de protesto: um pasquim que trazia o debate racial para o centro. Da parte dos "homens de cor", temia-se a reedição e o aprofundamento das divisões e hierarquias militares da Colônia e do Primeiro Reinado, que priorizavam os elementos brancos e portugueses, enquanto a ampla mobilização de pretos e pardos ficava restrita às patentes inferiores (Ribeiro, 2002, p. 257-ss.). Com o enfraquecimento do Exército após a Independência, até a participação nos postos inferiores estava ameaçada.

Esses e outros acontecimentos concorriam para limitar a liberdade e a cidadania dos "homens de cor" livres na Corte. O problema envolvia bastante gente, tanto que a iniciativa tomada na Fluminense de Brito ganhou espaço e simpatia em outras duas tipografias: o *Brasileiro Pardo* surgia na Tipografia Paraguassu; *O Cabrito*, na Tipografia Miranda e Carneiro; e *O Lafuente*, também na Paraguassu[3]. Como de costume, os impressos não eram vendidos nas ruas. Os interessados tinham de ir a esses locais ou a lojas de livros indicadas para ter acesso aos exemplares, ao preço de 40 réis a unidade ou mediante assinatura. Outro fato em comum era o anonimato de seus redatores (Sodré, 1999, p. 158), o que rendeu muita polêmica.

....

3. Existiu ainda o pasquim O *Crioulinho*, editado na Tipografia do Diário a partir de 30 de setembro de 1833.

Os números de *O Homem de Cor*, por exemplo, eram assinados apenas por "O Redator", presente na última página. Não há dúvida de que ele foi mesmo impresso na tipografia de Paula Brito, mas muito tem se discutido sobre a autoria dos textos. A maioria dos historiadores que trabalharam com esse pasquim, entre eles Hebe Maria Mattos (2000) e Ivana Stolze Lima (2003), o classifica como um impresso das fileiras exaltadas da capital do Império. Porém, o historiador Hélio Vianna, sustentado em acusações emitidas no *Indígena do Brasil,* defende a tese de *O Homem de Cor* ter como redator o "Coronel Conrado Jacó de Niemeyer, comprometido na intentona restauradora de 17 de abril de 1832" (Vianna, 1945, p. 219). Tais conclusões se pautaram num artigo de tom provocativo que acusava vários personagens da época de serem pró-restauração do domínio português, mas que, por vontade manifesta, criticavam os moderados, que governavam o trono decaído.

A atribuição, além de vaga, tentava tornar equivalentes os interesses da população negra livre e as pretensões portuguesas, sendo essas tão somente apresentadas como colonialistas. Num esforço de ignorar a participação dos "homens de cor" no cotidiano político da cidade, o gesto se valia do esquecimento do evidente vínculo e da provável influência de Paula Brito, membro do Partido Exaltado. Essa mesma evidência também não foi suficiente para, muito depois, alterar a opinião do historiador: como muitos membros da elite oitocentista, ao se referir aos pasquins *Homem de Cor, Brasileiro Pardo, Crioulinho* e *O Cabrito*, Vianna descartou qualquer possibilidade de terem sido produzidos por pessoas negras. Se o imputado pelo *Indígena do Brasil* e admitido pelo historiador estivesse correto, as ideias emitidas naqueles pasquins se tornariam, por motivos outros, mais instigantes, uma vez que as demandas dos cidadãos negros, próximas ou não aos ideais dos liberais exaltados, teriam sido usadas como plataforma de ação de um grupo não negro e portador de demandas diversas. Especulações à parte, as evidências reduzem em muito a comprovação dessa hipótese.

Ainda no campo das tentativas de silenciar os protestos dos homens de cor na imprensa, vale recuperar as censuras lançadas por Evaristo da Veiga a respeito do *Brasileiro Pardo*, que as fez a partir de uma perspectiva inversa à verificada no caso anterior. Na *Aurora Fluminense*, Veiga argumentou que a redação do pasquim recaía sobre o proprietário da Tipografia Paraguassu, o português David da Fonseca Pinto, para com isso deslegitimar a autoridade da folha:

> Em – *Pardo e Brasileiro* – quis disfarçar-se Sr. David da Fonseca Pinto, digníssimo redator que foi do *Poaquè*, do *V. Patriota*, e ultimamente do *Caramuru*. Aquele que tanto inventivou e encheu de injúrias os de *cabelo insubordinado*, como ele dizia, aquele que tanto simpatizou com os festejos de março pela feliz chegada, e que combateu, com Lusitano patriotismo a indignação brasileira, então envolvida, é quem agora, *torcendo o cabelo*, e afetando indignação contra os garrafistas, se apresenta na cena, como pardo e antigo exaltado, hoje converso para o bom partido, e saudoso do homem que nos deixou. (*Aurora Fluminense*, n. 833, p. 3550)

Como observa Nelson Werneck Sodré (1999), os veículos de imprensa da época viviam de acusações mútuas para en-

fraquecer seus oponentes. Fosse qual fosse o grupo de interesse, a preferência pela verdade era bastante relativa. Evaristo da Veiga era perito nesse ofício: na *Aurora Fluminense*,
quem demonstrasse oposição ao liberalismo moderado com
frequência era chamado de restaurador ou caramuru. Além
disso, aproveitava para desqualificar a participação de "homens de cor" nos eventos políticos do Império.

O figurão moderado ridicularizava os negros de ganho,
impingindo-lhes a personificação da covardia e da ignorância. Para garantir o sucesso do espetáculo, era preciso esca-
motear certos inconvenientes que não estavam no *script*
de seu conservadorismo. O resultado era a negação da capacidade dos negros, em geral, e dos livres, em particular,
de refletir com base em suas próprias experiências sobre os
rumos da sociedade em que viviam. Os questionamentos
que apareciam a torto e a direito denunciando o "preconceito de cor" não seriam mais que o fruto da manipulação de
homens brancos astutos. Curiosamente, essa interpretação
foi endossada por Thomas Flory, que, ao analisar os pasquins negros, lhes atribuiu pouca relevância e os encurralou
nas disputas das elites brancas (Flory, 1977).

Com base em rica documentação, estudos recentes sobre
as diferentes formas de resistência dos escravizados e das
parcelas negras livres e libertas têm colocado em xeque a
legitimidade dessas interpretações (Farias *et al.*, 2006; Gomes,
2006; Grinberg, 2002; Slenes 1999). Entre esses, a investigação feita por Gladys Sabina Ribeiro (2002, p. 281) aponta,
justamente, para o lado oposto da avaliação de Flory:

A "desculpa" do incitamento da população "de cor" pelos oficiais "brasileiros" da tropa ou pelos exaltados não

Imprensa negra no Brasil do século XIX

só retirou do povo a capacidade de agir por conta própria, de ter "projetos políticos", mas também justificou a necessidade de derrotar os exaltados e eliminá-los do cenário político, tornando as suas ações deslegítimas e temerárias.

É preciso atentar, portanto, para a origem da documentação que sustentou os argumentos tanto de Hélio Vianna, já mencionado, quanto de Thomas Flory. Para pessoas como Evaristo da Veiga, a mais discreta possibilidade de levantes negros resultantes da associação de escravizados, de livres e libertos ou de ambos os grupos era motivo de grande apreensão. Em alguns momentos, essa insegurança disfarçada de preconceito impediu a observação de algumas divisões no amplo grupo negro, a exemplo do distanciamento de pessoas livres em relação aos escravizados, como demonstrou Keila Grinberg (2002, p. 81) acerca de Antonio Pereira Rebouças. De fato, a população negra era temida antes de tudo por ser numerosa. Ao longo da primeira metade do século XIX, a cidade do Rio de Janeiro contou com a maior população escravizada urbana do hemisfério, bem como uma expressiva quantidade de negros livres e libertos entre os cidadãos. Na medida em que essa participação não se dissipou nos anos seguintes, houve oportunidade até para entender a Corte como uma "cidade negra".

Em tal contexto, a existência de jornais com títulos tão sugestivos quanto *O Homem de Cor, Brasileiro Pardo* e *O Cabrito* tinha tudo para despertar apreensão de Evaristo da Veiga e seus pares. Ainda mais quando os termos empregados para localizar a identidade de seus responsáveis remetiam a uma origem racial negra perpassada por um pertencimento "nacional" brasileiro, que os diferenciava dos africanos. Instituídas a princípio para descrever e organizar os escravizados, categorias como crioulo, pardo, mulato, de cor, trigueiro, cabra, cabrito, entre outras, foram transferidas e empregadas na diferenciação de libertos e livres não brancos. Como observa Mary Karasch, sobre o Rio de Janeiro do início do século XIX, a primeira divisão feita entre os escravizados era em relação ao lugar do nascimento, África ou Brasil. Quanto aos africanos, cabia classificá-los por local de origem, "uma vez que, da perspectiva dos senhores, todos os escravos africanos eram 'negros'". Por sua vez, os brasileiros eram subdivididos por cor (Karasch, 2000, p. 36).

Ao serem empregadas entre os livres, tais denominações muitas vezes passaram por ressignificações. Se termos como "mulato" e "de cor" mantiveram significados mais facilmente identificados, outros como "pardo", "cabra" e "cabrito" parecem carregar mais complexidade. Quanto a isso, o título do pasquim *O Cabrito* pode servir como porta de entrada para o entendimento de tais variações. A despeito de certa confusão nos registros históricos, tudo indica que as designações "cabra" ou "cabrito" tinham significados próximos às de "mulato" e "mestiço". Talvez por isso o redator de *O Cabrito*, no intuito de reafirmar os laços entre si e o público ao qual se dirigia, as utilizava como sinônimas:

> Brasileiros mulatos, um cabrito vosso patrício é quem vos vai falar; não é um filho de cacheu (*sic*), que se finge pardo para vos iludir; é um cabrito que hoje ainda tem manchas no corpo recebidas na rua da Quitanda, Pescadores, Rosário: é um cabrito que não é moderado, e que

Imprensa negra no Brasil do século XIX

não se unirá a eles enquanto forem protetores dos malvados chumbeiros. (*O Cabrito*, n. 1, p. 2)

O termo "pardo", no entanto, ia além. Também presente no vocabulário da escravidão, "os senhores usavam o termo 'pardo' para definir um mulato, uma pessoa de pais africanos e europeus, e os próprios pardos usavam-no para se distinguir dos crioulos e outros grupos racialmente mistos da cidade" (Karasch, 2000, p. 38). Se naquele espaço a expressão já extrapolava a questão da cor e avançava sobre o terreno do *status* social, entre os livres e libertos essa particularidade seria acentuada, como apontou Ivana Stolze Lima (2003). Ainda que não tivessem pais ou avós europeus, não convinha aos livres e libertos ser chamados de negros ou pretos. Assim, escravos pretos poderiam passar a pardos após a alforria.

Uma certeza sobressai de tudo isso: a despeito da grande presença africana na cidade do Rio Janeiro, homens livres de cor, nascidos em terras brasileiras, tiveram destacada participação naquele início do século. Ocuparam espaços decisivos para a expressão de suas opiniões sobre a sociedade em que viviam, estabeleceram alianças, romperam outras, enfrentaram dúvidas e, em alguma medida, tiveram sucesso em suas empreitadas.

TIPOGRAFIA FLUMINENSE DE BRITO: UM ESPAÇO DE REDES NEGRAS NA CORTE

A partir do empenho de seu avô, um jovem de 22 anos adquire conhecimentos e recursos financeiros e, pouco depois, compra de seu primo as máquinas de uma tipografia. Desse momento em diante, impulsiona sua carreira, que envolverá nomes importantes das letras do país onde nascera, entre eles o autor do primeiro romance nacional e o maior literato daquele tempo, talvez de muitos outros. Esse poderia ser o enredo de uma narrativa ficcional qualquer, caso não tivesse tempo, espaço, dinâmica e, principalmente, personagens bem específicos. Viveram essa história homens negros livres que, na cidade do Rio de Janeiro da primeira metade do século XIX, estabeleceram laços de solidariedade entre si, base para o desenvolvimento de suas trajetórias pessoais: Martinho Pereira de Brito, Francisco de Paula Brito, Silvino José de Almeida Brito, Antonio Gonçalves Teixeira e Sousa e Joaquim Maria Machado de Assis.

Francisco de Paula Brito nasceu a 2 de dezembro de 1809, no Rio de Janeiro, da união entre Jacintho Antunes Duarte e Maria Joaquina da Conceição Brito. A mãe de Paula Brito era uma mulher parda e nascida livre, filha de Martinho Pereira de Brito. Esse é apresentado por Eunice Ribeiro Gondim (1965, p. 17), como: "um dos maiores toreutas do Brasil, discípulo de Mestre Valetim. [...] Comandou o 4º Regimento de Milicianos, denominado Regimento dos Pardos, sendo depois reformado como sargento-mor". Quanto ao pai, a historiadora informa que era um "carpinteiro de origem humilde", não dando mais detalhes.

Segundo informações de Moreira de Azevedo na síntese biográfica que introduziu a coletânea de poesia em homenagem póstuma a Paula Brito (1863) – e que serviu de base para o texto de Gondim – , a figura decisiva na vida desse futuro tipógrafo-editor foi seu avô materno. Em 1815, lutando contra dificuldades financeiras, Jacintho, Maria e filhos tiveram de se mudar para Suruí. Paula Brito retornou

Imprensa negra no Brasil do século XIX

ao Rio somente em 1824 pelas mãos do avô. Nesse mesmo ano, tornou-se aprendiz de arte gráfica na Tipografia Imperial e Nacional, ex-Impressão Régia. Depois passou pela Tipografia de R. Ogier e pela de Seignot-Plancher, fundador do *Jornal do Comércio*, onde ocupou os postos de compositor, diretor das prensas, redator, tradutor e contista.

Em 1831, adquiriu o maquinário essencial e deu início aos trabalhos. A tipografia foi instalada na Praça da Constituição n. 21 – ainda conhecida como Largo do Rocio, atual Praça Tiradentes –, onde antes funcionava uma casa de chá e cera, papelaria e encadernação, propriedade de seu primo Silvino José de Almeida Brito (Azevedo, 1863, p. XI; Lima, 2003, p. 74). Ali lançou o periódico *A Mulher do Simplício* ou *A Fluminense Exaltada* (1832-1846), em contraposição à *Aurora Fluminense*, do liberal moderado Evaristo da Veiga. Anos depois, em 1849, criou *A Marmota na Corte*, que, a partir de 1852, passou a se chamar *Marmota Fluminense – jornal de modas e variedades*, que circulou até 1861, garantindo publicidade a jovens literatos. Além das publicações reconhecidamente de sua autoria, Paula Brito publicou um sem-número de periódicos, alguns até de tendência política diferente da sua. Essa abertura não necessariamente lhe rendeu aprovação irrestrita. Em 6 de dezembro de 1833, Paula Brito, "num boletim avulso, reverbera o procedimento de alguns brasileiros que tentaram invadir e depredar o seu estabelecimento e residência, pelo fato de nele ter sido impresso o jornal *O Restaurador*, defendendo-se, também, da acusação de pertencer ao Partido Restaurador ou Caramuru" (Gondim, 1965, p. 118).

Estabelecido, Paula Brito dispôs de seus bens para orientar os primeiros passos de outros jovens. No início da década de 1840, recebeu em sua tipografia o amigo de infância Antonio Gonçalves Teixeira e Sousa (Azevedo, 1863, p. XXVI), que ali trabalhou como "tipógrafo, caixeiro e revisor de provas, frequentou a sua livraria, a famosa 'Petalógica', a loja do Largo do Rocio, centro de aglutinação da intelectualidade da época" (Proença Filho, 1997, p. IX). Em 1843, Teixeira e Sousa publicou *O filho do pescador*, apontado por muitos como primeiro romance brasileiro, cuja edição ficou sob os cuidados de Paula Brito. O tipógrafo-editor adotou, anos depois, o mesmo procedimento com o ainda menino Machado de Assis, que principiou em sua loja como revisor de provas em 1854. Pouco depois, aos quinze anos de idade, lançaria o primeiro trabalho literário, o poema "Ela", no número de 12 de janeiro de 1855 da *Marmota Fluminense*. No fim de 1861, quando Machado principiava a colaboração como cronista no *Diário do Rio de Janeiro*, Paula Brito veio a falecer a 15 de dezembro. A referência feita em seus "Comentários da Semana" não poderia ser menos elogiosa: "Paula Brito foi um exemplo raro e bom. Tinha fé nas suas crenças políticas, acreditava sinceramente nos resultados da aplicação delas; tolerante, não fazia injustiça aos seus adversários; sincero, nunca transigiu com eles" (Assis, 2008, p. 133).

Por esses e outros feitos, Paula Brito conquistou espaço nas páginas da história brasileira. Além disso, em sua trajetória ficou inscrito outro episódio de grande valia para os interesses deste estudo. No segundo ano de sua tipografia, foi ele o editor – e quem sabe até o redator – do pasquim que abriu a coleção de jornais da imprensa negra no século XIX, *O Homem de Cor*, cujo título recebeu um pequeno acréscimo a partir do terceiro número, passando a se chamar *O Mulato ou O Homem de Cor*. É preciso reconhecer que ele não esteve sozinho nessa empreitada. Como é sabido, a Tipografia Fluminense de Brito era ambiente de debate bastante frequentado, onde ocorriam as reuniões da Petalógica, sociedade lítero-humorística liderada por ele.

Entre os que por lá circulavam, encontrava-se Maurício José de Lafuente, outro "homem de cor". Figura singular nesse contexto, antes de chegar ao Rio de Janeiro Lafuente teria passado por várias províncias do Império – Espírito Santo, Bahia e Pernambuco –, constantemente envolvido em revoltas e disputas políticas. Segundo *O Mulato ou O Homem de Cor*, fora "Patriota de 1817", "trabalhador da Revolução de 1824", um dos primeiros a celebrar o Sete de Abril na Província da Capitania do Espírito Santo, além de negociador de brilhantes na cidade do Rio de Janeiro (*O Homem de Cor*, n. 4, p. 1-2).

A forma exata de sua participação nesses conflitos não fica explícita nos pasquins. Todavia, parece improvável que ele tenha sido indiferente aos conflitos raciais estabelecidos nessas ocasiões, haja vista sua movimentação no Rio de Janeiro da década de 1830.

Coincidência ou não, Lafuente apresentava-se na capital do Império como ex-cadete da Marinha, munido de um arsenal político-cultural que reunia o repertório liberal exaltado, algumas ideias de tom republicano e certo entendimento das relações raciais entre homens livres na sociedade brasileira do início do século. Ao longo de suas pelejas, em 1832, foi detido, identificado como "pardo" e submetido a processo judicial pela acusação de se envolver em "motim e assuada" no largo do Paço, no qual se defendia a restituição do gabinete de 3 de agosto. Como consta nos autos do processo, os amotinados afixaram um impresso contendo a proclamação na porta do correio, e declaravam que, se fosse necessário ir o "povo às armas", assim o fariam. "Sob a vista grossa do juiz de paz, gritaram-se vivas ao próprio juiz, à 'memória da Câmara dos Deputados e à 'maioria do Senado. Uma das testemunhas afirmou ter o impresso saído da Tipografia do Diário" (Lima, 2003, p. 54).

Virado o ano, foi a vez de recorrer à tipografia de Paula Brito para publicar o "Rebate aos editoriais do 7 de abril"; assim como o convite para o enterro de Clemente José de Oliveira, redator de *O Brazil Afflicto*, assassinado por Carlos Miguel de Lima, filho do regente Brigadeiro Francisco de Lima e Silva[4]. O caso atiçou os ânimos. A cobertura de *O Mulato ou O Homem de Cor* sobre o crime e os demais registros dos pasquins *Brasileiro Pardo* e *O Lafuente* dão conta de que o envolvimento de Maurício José de Lafuente nessa situação lhe rendeu mais uma vez o cárcere, em 19 de outubro, "no dia em que apareceu o novo periódico moderado chamado *A Restauração* – no qual é tratado o Sr. Lafuente de *bode*, negro e outros insultos próprios dos vingativos moderados" (*O Mulato ou O Homem de Cor*, n. 4, p. 1).

Tratava-se de uma história conturbada, que começou a ser noticiada no primeiro número de *O Homem de Cor:* "Sabei oh Brasileiros, que no dia 9 do corrente às 4 horas da tarde fora barbaramente assassinado o Redator de *O Brazil Afflicto*, o Sr. Clemente, pelo Sr. Carlos Miguel de Lima, filho do Excelentíssimo Sr. Regente Lima" (*O Homem de Cor*, n. 1,

....

4. Maurício José de Lafuente, *Rebate aos editoriais do "7 de abril" e Convite para o enterro de Clemente José de Oliveira redator do "Brasil Afflicto"*, 1833.

p. 4), que junto com seu irmão teriam antes agredido dois militares de baixa patente. Usando de suas prerrogativas, Carlos Miguel de Lima forjou uma série de artimanhas para justificar ou até mesmo se eximir do assassinato, mas o pasquim não perdeu tempo e procedeu à denúncia no número seguinte. Se isso não foi suficiente para impedir a impunidade de Lima, serviu para causar embaraço.

Ocupando até aquele momento espaço secundário no periódico, o assunto foi tratado na primeira página do terceiro número, de 16 de outubro. O artigo, de novo assinado por "O Redator", tornava público o incidente ocorrido durante o velório de Clemente José de Oliveira, em 26 de setembro, quando "uma patrulha de permanentes comandada por um oficial aparecera para perturbar a boa ordem que reinava entre o Povo apinhoado, carregando pistolas e desembainhando espadas" (*O Mulato ou O Homem de Cor*, n. 3, p. 2). De nada teriam servido as ordens dos inspetores e do juiz de paz presentes no velório custeado por Lafuente. A patrulha do Corpo de Guardas Municipais Permanentes – herança deixada por Feijó em 1831 – tomou a rua e acompanhou o cortejo e todos os procedimentos funerários sem o consentimento dos amigos de Clemente, que segundo esse pasquim teria sido um dos homens que trabalharam em prol da abdicação de D. Pedro.

Contados três dias dessa ocorrência, Lafuente foi preso sob as acusações de vadiagem e andar armado. *O Mulato ou O Homem de Cor* não deixou por menos. A quarta edição, de 23 de outubro, foi toda dedicada ao assunto. O único artigo, intitulado "Prisão arbitrária do Sr. Lafuente", começava com um clamor a todos os "homens de cor": "Criminoso seria o homem de cor, se na crise mais arriscada, na ocasião em que os agentes do Poder desembainham as espadas dando – profundos – golpes na Constituição, na Liberdade, e em tudo que há de mais sagrado no enjeitado Brasil, guardasse mudo silêncio, filho da coação, ou do terror". Dali em diante, tratou da "prisão mais escandalosa, a mais arbitrária, e a mais desumana que se tem visto nos nossos últimos tempos" (*O Mulato ou O Homem de Cor*, n. 4, p. 1).

Diferentemente do que se imputava, a folha informava que Lafuente possuía licença. Mesmo assim, tal como foi preso sem justificativas fundamentadas, também seguiu para a cadeia, permanecendo incomunicável até nove horas da noite. Após requerer informações sobre o tipo de delito que poderia ter cometido, no adiantado da noite mesmo, foi emitida uma portaria do ministro da Justiça, ordenando que aquele cidadão fosse levado "a bordo da Presiganga a assentar proa de Marinheiro" – ele que já havia ocupado o posto de cadete[5]. Diante desse fato, o redator de *O Mulato* protestava:

Assim é que hoje alguns moderados pagam ao seu bem--feitor; porém [seus] serviços seriam tomados em consideração, se o Sr. Lafuente não tivesse a *pecha* de ser mulato, único motivo que deu origem à sua prisão [...] Desnecessário é mostrar-vos, imparciais leitores, que os nossos governantes só tratam de fazer guerra aos *mulatos*; e mais atropelam aqueles que não podendo deixar

....

5. Palavra de origem inglesa (*pressgang*), presiganga corresponde a um navio que serve de prisão ou que recolhe os prisioneiros. Para um entendimento mais abrangente sobre o funcionamento da presiganga e dos abusos que por lá ocorriam, consultar Fonseca (2003).

Imprensa negra no Brasil do século XIX

de mostrar que têm *raça misturada*, querem hoje exterminar a gente de cor, a quem a *Aurora* chamou maioria atrevida. (*O Mulato ou O Homem de Cor*, n. 4, p. 2)

Em resposta a tais "planos moderados" de "acabarem os homens de cor", os argumentos ratificavam o apreço aos valores nacionais, à legalidade e aos direitos civis, por meio da exortação do respeito à Pátria, à Constituição e à Liberdade. Empenhados para que sua cidadania legalmente estabelecida fosse assim entendida por todos, vinculavam-se à tendência liberal exaltada e entendiam a participação de "seus iguais" nas fileiras moderadas como um grande erro:

Eis, oh entes desgraçados, que servis debaixo das bandeiras da moderação, o prêmio que recebeis da vossa servidão, os moderados treparam sobre os vossos ombros em Sete de Abril, e pondo aos *claros amigos* no zimbório Político, desmancharam com os pés a escada por onde treparam e começaram desde então a excluírem dentre si os homens de cor como nós. Nas eleições tivemos o exemplo, não há um representante de nossas cores, dos Empregos Públicos e de toda a parte nos excluíram, e vós oh escravos, que mamando na teta de tais feras lhes estão dando força, desenganai-vos, pois os moderados não fazem caso de vós por serdes mulatos. (*O Mulato ou O Homem de Cor*, n. 4, p. 4)

As queixas e denúncias a respeito da dita prisão tiveram continuidade nas páginas do *Brasileiro Pardo* e de *O Lafuente*, provavelmente criado para dar mais notoriedade ao caso. Este, no sábado de 16 de novembro, deu a notícia de que Lafuente, estando na presiganga, teria novamente reclamado pelo cumprimento da lei, ao que obteve como resposta que "a Constituição era para a terra"! Foi, em seguida, despojado de seus calçados e vestes e forçado a varrer o convés:

> Apesar disso ele clamou com energia contra tal despotismo, e talvez a essa energia deva ele a conservação de sua vida. Não para daqui a carreira da iniquidade, ela foi mais longe: próximo a sair a cruzar uma Escuma de guerra, o bote é mandado à presiganga com ordem de dali arrebatar a triste vítima, que sem vestuário, desprovida de tudo o necessário para o mar, com uma perna deslocada é levada para bordo da Escuna e nela pela barra afora! (*O Lafuente*, n. 1, p. 3).

Lafuente acabou temporariamente deportado, a despeito das tentativas de constrangimento comunicadas em vários impressos, a exemplo do que apareceu no último número de *O Mulato*: "Na Bahia e Pernambuco, onde o Sr. Lafuente é assaz conhecido, dir-se-á a Capital do Brasil é o matadouro dos homens livres, e quem escapa a espada dos assassinos acha nos porões das embarcações uma morte lenta" (*O Mulato ou O Homem de Cor*, n. 5, p. 2). Sua libertação, todavia, não foi noticiada pelos pasquins consultados, que circularam até novembro daquele ano. Mas, após um vazio de informações, as pistas encontradas indicam que ela ocorreu e Lafuente retomou sua atuação na imprensa da Corte. De acordo com Nelson Werneck Sodré, em dezembro de 1835, os leitores da Corte receberam *O Compadre de Itu a Seu Compadre do Rio*, folha de oposição a Feijó, impressa na Tipogra-

Imprensa negra no Brasil do século XIX

fia Patriótica, que seria de propriedade de Lafuente (Sodré, 1999, p. 129). Só que, em virtude de algum motivo desconhecido, em 1836, ele teve de recorrer à Tipografia Fluminense de Brito para publicar a "Defesa do autor contra as injustiças sofridas" – ainda que, estranhamente, existisse uma Tipografia do Sr. Lafuente, na rua da Cadeia, na qual eram vendidos impressos da tipografia de Paula Brito, de acordo com Jeanne Berrance de Castro (1979, p. 226)[6]. O que aconteceu depois não está claro, mas é certo que Lafuente teve uma vida bem tumultuada.

Com efeito, a documentação utilizada permite entrever Francisco de Paula Brito e Maurício José de Lafuente como pontos de ligação entre os pasquins dos homens de cor de 1833, cada um a seu modo. Importa, por ora, ressaltar que lances da vida de outros tantos homens livres de cor, seus percalços e embates ainda também seriam tratados naquelas páginas.

ARGUMENTOS E CONTRA-ARGUMENTOS, PORQUE DE POLÊMICAS ERAM FEITOS OS PASQUINS

Ainda em agosto de 1833, o pasquim *O Carioca – jornal político, amigo da liberdade e da lei* garantiu espaço para uma prévia do debate público a respeito das investidas do governo moderado contra os "homens de cor". Entre as questões mencionadas, estava a proposta do presidente

......

6. Maurício José de Lafuente, *Defesa do autor contra as injustiças sofridas*, 1836.

de Pernambuco acerca da Guarda Nacional, feita sob a anuência do ministro da Justiça Aureliano de Souza e Oliveira Coutinho.

Autoidentificado como produto de um "verdadeiro exaltado", *O Carioca* se colocava a serviço da união e do fortalecimento de todos os brasileiros, a fim de "defender a nacionalidade, sustentar os princípios da revolução de Sete de Abril, fazer a decente e necessária oposição ao governo e opor um invencível baluarte à ignominiosa e aviltante restauração do Duque de Bragança" (*O Carioca*, n. 1, p. 1). Também editado na Tipografia Fluminense de Brito, o periódico durou bem mais que os pasquins negros. Lançado em 17 de agosto de 1833, o último exemplar encontrado data de 21 de janeiro de 1834, totalizando doze números. Em várias dessas edições, abordou assuntos que remetiam à discriminação racial contra os "homens de cor". O tratamento desses fatos como de interesse de toda a sociedade demonstrava a relevância do tema. Havia, portanto, espaço para o lançamento dos pasquins negros.

Aliás, os primeiros anos do período regencial ficaram marcados por um *boom* no jornalismo brasileiro, que promoveu o detalhamento do fazer jornalístico. Mesmo com os perigos constantes à liberdade de imprensa, as demandas sociais tiveram uma oportunidade ímpar de ser abordadas sob múltiplas perspectivas (Bahia, 1967). Desse modo, a emergência dos primeiros títulos da imprensa negra, que expressaram o descontentamento dos cidadãos negros, também resultou dessa ampliação e especialização. Esse cenário de inconstância acabou registrado no formato dos pasquins negros. Nenhum deles exibia um modo linear para contar as histórias. Tal descontinuidade se mostrava tam-

Imprensa negra no Brasil do século XIX

bém no tempo de vida reduzido dos jornais; no jeito como as matérias eram escritas e ordenadas nas páginas, não havendo seções fixas e/ou temáticas; na inexistência de uma abordagem única sobre os assuntos; bem como nas mensagens tantas vezes cifradas ao público não iniciado.

A insegurança quanto ao futuro era outro ponto em comum. A opinião era unânime: estaria em curso uma perseguição aos cidadãos negros, que os atingia em seus direitos e os desrespeitava em seus talentos e virtudes – uma mácula à Carta Magna de 1824, aos princípios de liberdade e igualdade. Quanto a isso, ajuizava *O Mulato ou O Homem de Cor*: "hoje no século das luzes, na América, terra da liberdade, aproveitam-se os erros da Antiguidade, não dissemos bem, vai-se muito além do que praticaram povos não ilustrados, ressentindo-se sempre da ignorância e brutalidade em que se achavam por tanto tempo sepultados". As expectativas criadas em torno do Sete de Abril eram agora frustradas: "mal poderíamos crer que o golpe de Estado começaria pelos homens de cor, por aqueles primeiros a abrasarem-se pela causa do Brasil" (n. 5, p. 1-2).

As alianças entre liberais moderados e os "brasileiros pardos" tinham perdido a validade em 1833, sendo vistas como farsa naquele momento. O redator do *Brasileiro Pardo* argumentava que, nas disputas entre corcundas (absolutistas portugueses) e liberais, os "brasileiros pardos" teriam se posicionado a favor dos últimos, atribuindo ao domínio português as causas dos problemas pelos quais passavam. Porém, dois anos foram suficientes para entender que a sua "classe" teria sido incorporada às pelejas de 1831 não pelo reconhecimento de sua importância como membros efetivos da sociedade brasileira, mas apenas como instrumento eficaz e valioso para a derrubada do antigo imperador (*Brasileiro Pardo*, n. 1, p. 1).

Outro motivo do desgosto perante os desdobramentos do Sete de Abril era, justamente, a permanência dos "chumbos", termo depreciativo para portugueses, não apenas em terras brasileiras, mas sobretudo nos mesmos postos que os mais ricos entre eles ocupavam anteriormente – isso graças ao silêncio dos "laranjeiras" ou "*Evaristos*", como eram chamados os moderados. Algo semelhante também se dava entre a arraia miúda. Como afirma Gladys Sabina Ribeiro (2002, p. 279), "o antilusitanismo da população 'de cor' carioca tinha como contrapartida a tentativa dos brancos 'portugueses' de constituírem uma espécie de barreira racial, preservando os espaços adquiridos".

Tamanha insegurança só poderia resultar em desconfiança sobre as ações do governo, como ocorreu a respeito da circular que visava instituir a obrigatoriedade da declaração da cor nas listas dos cidadãos:

> Não sabemos o motivo por que os brancos moderados nos hão declarado guerra, há pouco lemos uma circular em que se declara que as listas dos Cidadãos Brasileiros devem constar a diferença de cor e isso entre os homens livres! A Constituição, tantas vezes deflorada pelos *moderados*, é hoje apenas letras de que apreço nenhum fazem os liberais por excelência. Seria melhor que tomassem o conselho do *Homem de Cor* que não exasperassem os mulatos sempre amigos da lei e da ordem, e se deixassem de distinções que em verdade são fatalíssimas [...]; e se o nosso Governo quer a divisão das Classes pensando que assim melhor nos terá debaixo do jugo, enga-

Imprensa negra no Brasil do século XIX

na-se. Só nas cacholas dos moderados poderá existir semelhante desvario, e o tempo o mostrará. (*O Mulato ou O Homem de Cor*, n. 5, p. 2-3)

Tal reação, que poderia ser vista como contraditória, informava sobre as estratégias disponíveis aos "homens de cor" para se esquivar de discriminações sistemáticas. As prováveis motivações daquele registro das diferenças de cor/raça por parte do governo lhes pareciam uma cilada naquele momento. Pelo que deixa entrever *O Mulato*, oficializar essa identificação racial levaria ao aprofundamento de problemas que os cidadãos negros já experimentavam. A historiadora Célia Maria Marinho de Azevedo (2005, p. 303), no entanto, fez outra leitura dessa passagem: esses protestos sinalizariam uma opção pelo apagamento da cor, e a construção da democracia, na visão do redator do pasquim, dependeria do não reconhecimento das diferenças. Uma vez apagadas as diferenças, seria combatida a desigualdade e alcançada a "cidadania desracializada".

Que significado teriam, então, todas as marcações de identidade até ali afirmadas? Era indiscutível um forte traço de afirmação racial nos títulos dos jornais, que persistia delineado no público ao qual os textos remetiam e chegava às reivindicações de garantia dos direitos dos cidadãos "de cor", "mulatos", "pardos". No caso, o que reivindicavam não era o esquecimento da diferença, mas o respeito a elas e a avaliação dos indivíduos por meio de seus talentos e virtudes. Uma vez servindo de instrumento do governo, agente da discriminação racial, essa proposta de identificação oficial se tornaria indesejável aos olhos desses cidadãos. Precedentes para essa desconfiança existiam, nos quais a noção de "classes heterogêneas" assumia dimensão de pertencimento racial, a exemplo da discutida proposta do presidente de Pernambuco sobre a organização da Guarda Nacional. Como se argumentava no jornal, a execução desse projeto seria um golpe "para de uma vez romper-se o nó que liga a Família Brasileira" (*O Homem de Cor*, n. 1, p. 1).

A Guarda Nacional fora criada por uma lei de 18 de agosto de 1831. Os corpos de milícias e ordenanças ligados ao Ministério da Guerra foram extintos, sendo substituídos pela Guarda Nacional, submetida ao Ministério da Justiça. "Também a Guarda Municipal era declarada extinta, mas Feijó [ministro da Justiça na época], posteriormente, pela Lei de 10 de outubro, transformou-a na Guarda Municipal Permanente, a Guarda dos Permanentes, como foi popularmente designada" – acrescenta Paulo Pereira de Castro (2004, p. 31). Dado importantíssimo para se entender aquela resistência acerca da declaração de cor nas listas de cidadão naquele momento, segundo Jeanne Berrance de Castro (1979, p. 175):

> Eram formadas Guardas Nacionais nas paróquias e curatos do município, cabendo às câmaras municipais a organização dos corpos, com o alistamento dos cidadãos, inscritos nos livros de matrícula, por ela subministrados. Outro elemento municipal, o juiz de paz, formava o conselho de qualificação, composto de seis eleitores do distrito, dentre os mais votados e, quando não houvesse número suficiente de eleitores, podia completá-lo o juiz de paz, convocando novos elementos.

Ou seja, declarar a cor poderia facilitar as divisões hierarquizadas pretendidas pelo presidente de Pernambuco e, cer-

Imprensa negra no Brasil do século XIX

tamente, compartilhadas por muitos outros. Além disso, o conceito da "nação em armas", representado na Guarda Nacional, vinha ao encontro da necessidade de garantir ao poder civil o controle militar (1979, p. 3). Quanto ao Rio de Janeiro, o perigo militar, que agitara o Primeiro Reinado e em várias ocasiões apresentara contornos raciais, continuava a assombrar o novo regime. Em julho de 1831, a insatisfação da tropa resultou na sublevação do 26º batalhão de infantaria, que teve o apoio de outros grupos armados da Corte e de populares ligados ao Partido Exaltado. Embora tenha sido desmontado rapidamente e as reivindicações das tropas levadas à Câmara, o incidente estimulou um posicionamento mais duro por parte do governo, sendo a criação da Guarda Nacional corolário do processo.

A princípio, a Lei de 1831 não distinguia o eleitorado com base em critérios de cor ou raça, assim como não apresentava impedimentos declarados para o acesso aos postos de comando da Guarda Nacional. Conforme sublinhado por Berrance de Castro (1979, p. 183): "O que, sobretudo, deve ter inquietado a classe dominante era o perigo que representava a Guarda Nacional como veículo de um igualitarismo social e racial, possível elemento de perturbação".

Indisfarçadamente, o alcance da promessa democrática de uma milícia cidadã teria de ser limitado. Parte dessas lacunas foi, então, suprida pelas resoluções encerradas no Decreto de 30 de julho de 1832; outras só seriam enfrentadas mais abertamente com a reforma de 1850. Entre as soluções imediatas, restringiram-se as possibilidades de pertencimento à Guarda Nacional; ficou no ar o cerceio da participação de libertos, mesmo que dispusessem da renda necessária ao direito de voto ao cidadão livre.

Os resultados dessa manobra repercutiram nos pasquins, como foi o caso do *Brasileiro Pardo*: "Nós, os pardos, com a exclusão dos libertos, da Guarda Nacional, já ficamos reduzidos a não podermos pertencer-lhe senão aqueles entre nós que nasceram livres". Em compensação, 'os adotivos'[7], a quem tinham tirado as armas, e sobre quem nos haviam arremessado nas noites de Março, foram todos armados!" (*Brasileiro Pardo*, n. 1, p. 2). Aproveitando-se desses impasses, a "sanha moderada Zeferina", formalizada no ofício de 12 de junho, buscava desqualificar os que ainda ocupavam postos na milícia civil. Ou seja, mesmo com as barreiras fortificadas em 1832, os procedimentos adotados para o preenchimento dessas vagas ainda permitiam o comando de negros sobre brancos.

Cenas desse processo de esvaziamento do militarismo e elitização da Guarda Nacional, que afetou os "homens de cor" individual e coletivamente, foram narradas nas páginas dos pasquins. Falou-se muito sobre indivíduos que, evadidos de seus postos, não encontravam chances reais de assumir os novos postos de cidadãos soldados. Os primeiros casos relatados aparecem no terceiro número de *Homem de Cor*, que partia do que acontecera a um certo Capitão Solidonio,

> que merecera os maiores elogios pelos gloriosos acontecimentos de 6 [de abril], hoje acha-se oculto para evitar uma deportação vergonhosa; como parte de doente e, depois, de ter sido inspecionado, pretextos frívolos se

....

7. Referência aos portugueses nascidos em Portugal e residentes no Brasil, que possuíam cidadania brasileira.

procuraram, deu-se ordem a qualquer permanente, segundo consta, prender um Oficial distinto pelos serviços prestados ao exaltamento dos nossos Governantes. (*O Mulato ou O Homem de Cor*, n. 3, p. 2)

A outra história referia-se ao Alferes Bacellar, que "cansado de sofrer injustiças e ódio de entes baixos e vis, pediu sua demissão, e assim 11 anos de serviços, 2 embarques, os feitos para o glorioso 6 de Abril são apenas compensados com o bom conceito de seus concidadãos". Que outros motivos justificavam a perseguição desses oficiais? Mais uma vez, o pasquim atribuía a motivação dessas ações ao fato de os atingidos serem "de cor", ainda mais porque uma filiação ao partido restaurador estava descartada: "Brasileiros em geral, serão também restauradores os briosos militares que empunharam as armas e promoveram a abdicação? Não de certo" (*O Mulato ou o Homem de Cor*, n. 3, p. 3). Antes de fechar o artigo, deu-se ainda a notícia de que o Cadete Constantino Marçal de Souza, do Arsenal de Guerra, havia sido demitido por ter acompanhado o enterro do redator de *O Brazil Afflicto*, o que teria sido caracterizado como exemplo de péssima conduta.

Dias depois, tratou-se do que sucedera com Candido de Assis, demitido do Arsenal de Guerra. De acordo com o redator de *O Mulato*, sua demissão foi apenas o desfecho de uma história cheia de detalhes perversos. Esse cidadão negro teria sido empregado do Arsenal de Guerra por quatro anos. Desses, dois anos corresponderam a serviços gratuitos e o restante teria correspondido ao soldo de 150 mil réis. Na época do assassinato de Clemente José de Oliveira, o senhor Candido empreendia uma peleja para ser reformado, uma vez que, ao ser realizada a reforma do Arsenal, seu nome não foi contemplado, mesmo tendo "imensos atestados de boa conduta, honra e probidade, que desempenhara seus deveres exatamente e que é de 7 de Abril". Um engano na lista dos reformados foi apresentada como justificativa para essa preterição. Qual não foi a surpresa de Candido de Assis quando, após ter apresentado requerimento à Câmara dos Deputados, recebeu uma portaria regencial demitindo-o de seu posto, sem se dizer a causa da demissão.

> Há muito tempo que o Sr. Candido devia esperar pela sua demissão, pois em 1828 quando entrou para o Arsenal, fez-se crua guerra por ser *mulato*, a ponto do Sr. Thomaz Joze de Aguilar Sandinabo deixar de ir ao Arsenal por espaço de DOIS ANOS, *vencendo o seu ordenado*, só porque não queria estar numa repartição com MULATOS. (*O Mulato ou O Homem de Cor*, n. 5, p. 4)

O ponto de maior tensão, entretanto, estava em que após o Sete de Abril, Sandinabo, primo do regente Lima, resolveu retomar seu lugar. No momento da reforma dos oficiais, este foi contemplado, recebendo um conto de réis, enquanto Candido de Assis recebeu como recompensa a demissão. Como acusava o pasquim, o problema não se encerrava em nepotismo, mas em racismo: "Quando dissemos que se perseguem aos homens de cor, gritam os chimangos apresentem provas! E quando as damos ao público eles metem logo a ridículo, arma sempre do fraco". Sendo assim, coube um aviso:

> [Sendo] coexistente com o poder a resistência, em vão pretende o governo destruí-la, ela só acabará com o po-

Imprensa negra no Brasil do século XIX

der, e nem diremos que ao governo compete a direção convenientemente da ação desta resistência, e o que não pensa desta forma jamais acredite conter pela força a Povos que já saborearam os efeitos da Liberdade; e se por algum tempo o poder fizer calar a resistência à opressão, a reação torna-se maior... (*O Homem de Cor*, n. 1, p. 3)

Em face de tal desarranjo, o redator desautorizava os agentes do poder a falar em temor da restauração, uma vez que eles próprios, em seus atos, já assumiam a postura de déspotas. Como prognóstico para esse quadro, o texto apregoava a impossibilidade de crescimento da nação sem o respeito aos preceitos constitucionais e sem o reconhecimento igualitário de todos os cidadãos. Paralelamente, *O Mulato* apostava em D. Pedro II, a personificar um tempo em que seria suplantada a "pestilenta corja de chimangos" que perseguia os homens negros livres, em especial os exaltados. Afinal, embora houvesse um cheiro de república no ar, a monarquia constitucional era ainda defendida por muitos.

Pelo que se viu, os "homens de cor" tinham um afinado entendimento da situação vivida. Às práticas cotidianas de resistência ao racismo, vindas de bem antes, não era difícil incorporar o repertório do liberalismo – fosse exaltado ou moderado – e dar mais substância a suas ações políticas. De diferentes modos, aproveitavam os mais variados recursos disponíveis para a conquista e o respeito de seus direitos. Assim, as ideias europeias desempenharam papel indispensável, mas não primário, na composição dos pasquins negros de 1833.

O silêncio sobre a escravidão, por outro lado, pode encontrar aí alguma explicação. Naqueles tempos em que se falava numa remota e gradual abolição do escravismo, e a preservação das liberdades conquistadas era tão frágil, pensar e agir em outros termos poderia ser mais difícil do que se pensa. Deve-se ter em mente ainda que a população negra era interpelada por um divisionismo cotidiano, base do próprio sistema escravista. Obviamente seria mais agradável às pessoas de hoje encontrar nesses fragmentados do passado tamanha sintonia com os desejos da atualidade, mas nem só de alegrias vive a historiografia.

Mesmo assim, esses jornais conseguiram demarcar e registrar um avanço de parte da população negra em seu próprio benefício. Existiram não no subterrâneo da história, mas nas ruas, casas, tipografias, em lugares públicos e privados da cidade do Rio de Janeiro, a cidade negra. Essa característica lhes confere grandeza. Suas possíveis limitações lhe afiançaram humanidade.

2
Do Leão do Norte seguiu a notícia: "Realidade constitucional ou dissolução social"

O RECIFE NO TEMPO DE *O HOMEM* FALAR

> *A liberdade não é a igualdade. Somos livres, segundo a Constituição Política, mas a igualdade ainda está muito longe de nós. (O Homem, n. 9, p. 2)*

> *Queremos que qualquer carcamano que nos engraxa as botas pelo nosso dinheiro não se julgue superior a nós somente por pertencer à classe dos pretensos descendentes de Cáucaso. (O Homem, n. 5, p. 1)*

Menos de cinco anos se passaram desde que a Lei n. 2.040 – a que ficou conhecida como Lei do Ventre Livre – sinalizara à Nação que dentro em pouco o contingente de escravizados seria absolutamente convertido em cidadãos. O escravismo seria finito no Brasil desde que não ocorresse um retrocesso nas leis. No entanto, diferentemente do sugerido pela euforia imediata, a medida não representou mudanças tão radicais à paisagem brasileira oitocentista. Mais do que impor rupturas, a lei ajudava a fixar costumes que vinham se instituindo com a ação dos sujeitos envolvidos. Se após a promulgação, por um lado, forjaram-se barreiras para a sua aplicação, por outro, os usos de expedientes legais por parte dos escravizados, como o acúmulo de pecúlio para a compra de alforria, bem como o anterior crescimento da população negra livre relativizaram o caráter inovador do dispositivo[8]. Indiscutivelmente, àquela altura, muitas pessoas negras livres e libertas transitavam por diversos espaços sociais.

Tratava-se de um processo que ganhava força ano após ano, carregado de tensões raciais. Em Pernambuco, distante e conectado ao burburinho da capital do Império, esses sujeitos viviam intensamente a cidade do Recife. Ao reverenciar cenas e personagens pernambucanas do século XIX, Estevão Pinto (1922, p. 11) registra impressões de viajantes: "As ruas, com os seus negros, com os seus nichos, com as suas quitandas, atraem a atenção dos estrangeiros". Um pouco distante do fascínio de coordenadas exóticas, os relatos também apontavam para demonstrações menos amistosas no convívio inter-racial. Em meio às lutas de independência e da posterior abdicação de Pedro I, setores dos poderes locais não se furtaram a reconhecê-las e tentar enfrentá-las. Assim aparecem episódios como o que se deu em 1823, quando milicianos negros, à porta dos quartéis,

....

8. Entendimentos variados sobre os desdobramentos da Lei n. 2.040 /1871 são apresentados em: Carneiro (1980), Chalhoub (1990) e Lucimar Felisberto dos Santos (2006).

Imprensa negra no Brasil do século XIX

cantavam as rimas: "Marinheiros e caiados / Todos se devem acabar / Porque só pardos e pretos / O país hão de habitar" (Pinto, 1922, p. 155). Em outro caso, o levante da "soldadesca desenfreada" misturada a "cidadãos de cor mais levianos", em setembro de 1831, assim tratados pelas autoridades e a imprensa da época, serviu para ressaltar o peso desses conflitos (Carvalho, 1998b). Pouco depois, em 1833, Manuel Zeferino dos Santos, então presidente da província, proporia a criação de batalhões da Guarda Nacional segundo os "quilates da cor" dos cidadãos soldados, no intuito de controlar os passos dos membros da classe "mais numerosa", a formada por negros, também chamada "classe dos homens de cor" (*O Homem de Cor*, n. 1, p. 1).

Muitos outros episódios podem ser apontados[9], histórias cujo fio condutor leva a práticas cotidianas particulares e coletivas como o lançamento de um jornal que logo em seu frontispício afirmava ter por fim principal "promover a união, a instrução e a moralização dos homens de cor pernambucanos". A folha advogaria a causa dos interesses legítimos do grupo ao qual se ligava e defenderia seus direitos políticos, propagandeando para que a Constituição fosse "uma realidade para todos os brasileiros, sem distinção de classes". E mais: "As injustiças que lhes forem feitas serão levadas ao conhecimento do público para que a maldição geral caia sobre aqueles que as tiverem praticado e o mes-

....

9. Entre as inúmeras situações possíveis, o historiador Marcus Carvalho (2003) identifica no artigo "Os nomes da Revolução: lideranças populares na Insurreição Praieira" a participação de homens negros na revolta, sobretudo nos espaços urbanos de Olinda e Recife.

mo terá lugar relativamente à opressão e perseguição que sofrerem" (*O Homem*, n. 1-12, p. 1)[10].

O Homem: Realidade Constitucional ou Dissolução Social, semanário impresso na Tipografia Correio do Recife, no pátio da Matriz de Santo Antônio n. 15, localizada na Praça da Independência, deu início à sua coleção de doze números na quinta-feira de 13 de janeiro de 1876[11]. Sua apresentação à capital da província começou com o asserto:

> Há tempo de calar e há tempo de falar. O tempo de calar passou, começou o tempo de falar.
>
> A classe dos homens de cor, sem dúvida nenhuma, a mais numerosa e a mais industriosa do Brasil, parece atualmente voltada ao ostracismo pelos homens que nos governam, contra toda a justiça, contra a própria lei fundamental do país.
>
> Embora os particulares tratem-nos com as atenções merecidas, [...] todavia os fatos denunciam que o partido [Conservador] que há tempos predomina na província parece manter o propósito desleal de ir apartando dos empregos públicos aqueles nossos que para eles haviam sido nomeados por consideração de seus talentos e virtudes, conforme preceitua a Constituição do Império. (*O Homem*, n. 1, p. 1)

....

10. Agradeço a Adriana Maria Paulo da Silva, por sua generosidade, que me possibilitou completar a coleção do jornal O *Homem*.

11. As assinaturas eram o meio principal de sustentabilidade do jornal e eram pagas adiantadamente à razão de dois mil réis por três meses. A redação do periódico honrou seus assinantes com edições semanais, às quintas-feiras, por exatos três meses, de 13 de janeiro a 30 de março. Nenhum outro exemplar que extrapolasse esse período foi encontrado.

Imprensa negra no Brasil do século XIX

A inquietação diante de fatos marcava o ritmo da escrita e fortalecia suas motivações. Nos tempos de D. Pedro II, enquanto o edifício da escravidão ruía, reorganizavam-se práticas discriminatórias que caracterizavam a sociedade brasileira, a nação que se queria formar. Na percepção do periódico, a Carta Magna corria o risco de ser apenas adorno nas mesas dos medalhões Brasil adentro. Não por outro motivo, o primeiro artigo de fundo põe à prova a crença de que o trabalho livre servisse, de fato, para a equiparação de sujeitos tratados como desiguais ou fosse engano motivado pelo calor da hora.

Em *O Homem*, não há indícios que sequer sugiram um reconhecimento ou a continuidade do que se realizou nos anos 1830 pelos pasquins negros da Corte regencial, mas o que naquela época se anunciava como risco era apresentado como dado da realidade pernambucana em meados da década de 1870, tendo destaque no jornal:

Sim houve tempo em que já tivemos deputados gerais, deputados provinciais, chefe e delegados de polícia, juízes municipais, desembargadores, tenentes coronéis comandando batalhões da Guarda Nacional, chefes de repartições, intérpretes públicos, secretários da presidência, da instrução pública, e do Ginásio, professores de instrução secundária, e vários outros empregados de uma condição menos elevada, o que tudo nos dava consideração e fazia que fossemos tratados em perfeito pé de igualdade com os demais cidadãos; infelizmente, porém, deste expendido estado maior com que nos honrávamos, quase nada existe. Não há mais nesta província um só emprego de alta importância e consideração que seja exercido por homem de cor! (*O Homem,* n. 1, p. 1)

O crescente número de cidadãos negros no decurso do Oitocentos parece ter contribuído em muito para a constante atualização do debate entre as elites sobre o que se entendia e se esperava do povo brasileiro. Segundo os dados do Censo Demográfico de 1872, os negros (pretos e pardos) representavam 50,42% da população livre[12]. No caso específico da província de Pernambuco, a crise da economia açucareira e o fim do tráfico internacional de mão de obra africana escravizada favoreceram o tráfico interprovincial, mas não foram suficientes para resultar em drástica redução da presença negra entre a população local, principalmente entre os segmentos livre e liberto. Pretos e pardos somavam 63,98% da população geral, incluindo livres e escravizados. Entre os livres, esses representavam 59,74%. Para a cidade do Recife, num contingente de 117.163 indivíduos, os negros correspondiam a 58,92% do total; sendo 52,55% dos livres. Ou seja, à sua maneira, os números confirmavam o que *O Homem* já dizia em seu primeiro número: os "cidadãos" eram majoritariamente negros.

Para além das limitações estatísticas que certamente podem ser apontadas, o caso é que certa infiltração de indivíduos da "classe dos homens de cor" em espaços de prestígio instou pronunciamentos contrários. Cerca de um ano antes do surgimento de *O Homem*, "chegou ao ponto de pu-

....

12. É preciso não esquecer que grandes chances de imprecisão envolvem esses dados, podendo a cifra ter sido ainda mais expressiva. Em face de hostilidades permanentes, a identificação como não branco estava submetida a temores de retaliações, fazendo que "livres e libertos procurassem ser brancos" – prática logo reconhecida por Luiz Felipe de Alencastro (1997, p. 83).

Imprensa negra no Brasil do século XIX

blicar-se pela imprensa, e no próprio jornal oficial [*Diário de Pernambuco*], que a nossa sociedade repugna aceitar homens de cor para empregos em que tenham de representar papel de pai, e outras insolências mais" (*O Homem*, n. 3, p. 2). Em vez de reprovada, tal atitude foi bonificada, mesmo sendo possível acusar apenas o responsável pelo texto. Desse modo, nem sempre interessava dissimular a situação de conflito. Assim, ficamos sabendo que

> o atrevido que isto escreveu, em vez de ser demitido, como indigno, do emprego que já tinha, recebeu do ex-presidente Lucena um outro emprego em prêmio do seu atrevimento, e ainda presentemente é conservado funcionando em duas repartições provinciais diferentes no mesmo dia e recebendo quatro contos e tantos mil réis de ordenado. [...] ao mesmo tempo em que tais escândalos se praticavam, eram demitidos ou forçosamente aposentados, em um só ano, seis homens de cor que ocupavam diferentes empregos com perícia e honradez, não sendo nomeado nenhum dessa classe para substituí-los. (*O Homem*, n. 3, p. 2)

O desejo e os esforços manifestos de impedir que negros assumissem até cargos de pouco prestígio não deixavam muita coisa a fazer além do estabelecimento de um espaço para a resposta e o confronto. Aqui repousa outra justificativa de *O Homem*. Mesmo que algumas medidas indicassem a democratização dos espaços públicos, essas eram frequentemente engendradas prevendo a manutenção do controle sobre a participação de determinados grupos. A historiadora Clarisse Nunes Maia, embora não incorpore diretamente a discussão racial em seus argumentos, destaca:

"Nas últimas décadas do século, com a Lei de 1871, que preparava o caminho para a formação de um mercado de trabalho livre, há uma intensificação na repressão à vagabundagem em nível municipal e as posturas servirão a este propósito". (Maia, 2001, p. 24)

Em diálogo como o Código Criminal do Império, em determinados momentos, tais leis recaíam sobre os populares que realizavam suas tarefas e ações diárias à vista de toda a cidade. Muita coisa acontecia nas mais variadas ocasiões e espaços em que as pessoas se encontravam §– festividades religiosas, carnavalescas ou até ajuntamentos fortuitos. O que se passava incomodava à gente dos "salões, esquinas privilegiadas e lojas de pura escolha" e seus tantos outros simpatizantes. Entre as medidas repressivas, em 1875 "livres e escravos" foram proibidos de "afixar cartazes, anúncios, avisos etc., nas paredes ou esquinas". O asseio dos espaços públicos, acima da mera implicância, serviria de despiste para garantir a segurança pública de particulares. Até mesmo a iluminação se tornava assunto de segurança, uma vez que "as áreas que possuíam iluminação pública eram frequentemente as mais abastadas da cidade e que tinham comércio intenso" (Maia, 2001, p. 34).

Intervenções dessa natureza não deixaram de ser capturadas e repreendidas nas páginas de *O Homem*. No intuito de fazer frente à regra: "Aos amigos tudo, aos inimigos a lei!", a quem redigia os artigos recorria ao repertório legalista para autenticar sua fala e também se municiava para a defesa da cidadania dos negros livres e libertos e o respeito aos direitos básicos dos escravizados.

Imprensa negra no Brasil do século XIX

O próprio desenho do cabeçalho do jornal anunciaria as correntes filosóficas que embasavam o desenvolvimento das ideias expostas, articulando humanismo iluminista e cristianismo benevolente, em nome da universalidade e da igualdade humana. A tríade da democracia iluminista – liberdade, igualdade e fraternidade – ocupa duas posições na cabeça da página inicial. Primeiramente, as palavras encontram-se ao centro do cabeçalho, inseridas num arabesco que sustenta o título do periódico. Em seguida, são distribuídas na porção superior, emoldurando também a denominação *O Homem: Realidade Constitucional ou Dissolução Social*. À direita, lê-se: "LIBERDADE: Nenhum cidadão pode ser obrigado a fazer ou deixar de fazer alguma cousa senão em virtude da lei. Const., art. 179, § 1". À esquerda: "FRATERNIDADE: Aquele que tem ódio a seu irmão está em trevas e anda nas trevas, e não sabe para onde vá porque as trevas cegaram seus olhos. S. João. Ep. I cap. II v. II". Entre essas: "IGUALDADE: Todo cidadão pode ser admitido aos cargos públicos, civis, políticos ou militares sem outra diferença que não seja a dos seus talentos e virtudes. A lei será igual para todos quer proteja quer castigue, e recompensará em proporção dos merecimentos de cada um. Const., art. 179, § § XIII e XIV" (*O Homem*, n. 1-12, p. 1) – mesmo parágrafo citado no cabeçalho de *O Mulato ou O Homem de Cor*, pasquim publicado na Corte em 1833.

Ao sabor dos costumes, davam-se vestimentas europeias aos argumentos estimulados pelas necessidades criadas em solo brasileiro. Na contramão desse intuito de engrandecer o debate, tal prática era acompanhada pelo mal-estar advindo do sentimento de imitação. Foram muitos os publicistas e intelectuais que deram por certa a inércia cultural brasileira. O país pouco ou nada produzia de original, e preferia a imitação das coisas do Velho Mundo – e, para piorar, de forma sofrível. Participante ativo dessa discussão de longa data, o padre pernambucano Miguel do Sacramento Lopes Gama, por meio de seu *O Carapuceiro*, reclamaria em crônica de 14 de janeiro de 1840: "E quantos negócios nossos são decididos a trouxe-mouxe [desordenadamente] só por arremedo à Inglaterra e à França!" (Gama, 1996, p. 342). A confusão existia; porém, muito mais do que "macaquear", na expressão do padre, assistiu-se a uma série de ressignificações – prática cultural corriqueira.

Dilemas da inteligentsia à parte, sintonizado a essa prevalência dos influxos ingleses e franceses, em *O Homem*, a associação entre humanismo iluminista e liberalismo fez que um servisse de sinônimo ou complemento do outro. No combate à discriminação contra os "homens de cor", contribuíam para a contenda à qual o jornal se lançava. Tal manobra facultou desencadeamentos vários dispostos em outras partes do jornal – o que será abordado adiante.

Ainda sobre as correntes ideológicas registradas no cabeçalho de *O Homem*, o uso da passagem bíblica em nome da defesa do bem comum e da igualdade entre os homens poderia indicar um posicionamento contrário ao avanço das teorias científicas deterministas associadas à laicização do conhecimento, que aumentavam os problemas enfrentados pelas "pessoas de cor" (Schwarcz, 1993). Assim, mesmo que as práticas cotidianas e as determinadas leis procurassem afastar pretos e pardos livres do convívio democrático, como cidadãos ou como iguais perante as leis naturais e divinas, eles se colocavam como irmãos de todos os brasileiros sem distinção de cor. Em defesa disso, protestavam. A partir daí, até mesmo a garantia dos direi-

Imprensa negra no Brasil do século XIX

tos básicos dos ainda escravizados e de sua libertação poderia ser feita[13].

Outra explicação para a presença daquele dito cristão estaria na própria figura do editor do jornal. Em *Letras católicas em Pernambuco*, Alfredo Xavier Pedroza afirma que *O Homem* existiu "graças à operosidade intelectual e ao zelo cristão do Dr. Felipe Nery Collaço, que o redigiu e publicou" (Pedroza, 1939, p. 107). Em conformidade com Pedroza, e com base nos *Annaes da Imprensa Periódica Pernambucana*, de Alfredo de Carvalho, Leonardo Dantas Silva também atribui a Felipe Nery Collaço a direção e a redação de *O Homem* (Silva, 1988, p. 1)[14]. Certamente, essa não foi a primeira experiência de Collaço no jornalismo. Registros até agora localizados comprovam que sua atuação na imprensa ocorreu desde, pelo menos, 1852, por ocasião da publicação de *O Jardim das Damas: periódico de instrução e recreio, dedicado ao belo sexo*, pela Tipografia de M. F. de Faria, entre os meses de janeiro e novembro. Outras duas referências são *O Monitor das Famílias: periódico de instrução e recreio*, im-

....

13. Célia Maria Marinho de Azevedo, todavia, comenta que essa tendência não se repetiu entre a maioria dos abolicionistas brasileiros. Para a historiadora, "os abolicionistas brasileiros adotaram uma fala secular e utilitária na qual Deus representava um papel meramente decorativo. [...] O papel que cabia a Deus era o de emoldurar argumentos seculares, ou seja, de trazer a eles um tom de compaixão, o qual serviria bem às pessoas criadas de acordo com os preceitos católicos, sobretudo quando mencionavam aqueles situados em posição inferior na hierarquia social" (1995-1996, p. 100).

14. Outra referência a *O Homem* encontra-se no sexto volume da *História da imprensa de Pernambuco*, de Luiz do Nascimento (1972, p. 29-31).

presso na Tipografia Brasileira, entre dezembro de 1859 e janeiro de 1860; e *O Ramalhete: periodico litterario e critico illustrado*, editado na Tipografia do Diário do Recife em 1861. Todos os três títulos circularam na cidade do Recife e foram editados e redigidos por Collaço.

Suas atividades jornalísticas, assim, não estiveram restritas à defesa dos "homens de cor" e o conhecimento adquirido ao longo dos anos talvez explique a sofisticação do conteúdo e da estrutura de *O Homem*. O que se lê nos doze números leva a crer que a folha foi resultado tanto do acúmulo de experiências e conhecimentos acerca dos problemas enfrentados pela população negra pernambucana quanto do esforço reflexivo para o estabelecimento eficaz de contestações e contraposições. E foi, justamente, graças a uma polêmica travada com *A União*, folha recifense que recentemente voltara à ativa, que mais informações sobre a identidade do principal redator de *O Homem* puderam ser obtidas:

> Dando notícia da aparição do *Homem*, a *União* diz que ele não tem objeto porque entre nós não se olha para a cor do homem, uma vez que ele tenha merecimento elevado na hierarquia social (esta gente tem uma coisa na consciência e outra na boca).
>
> "O próprio redator da folha, continuará ela, é uma prova do que dissemos, pois sendo da cor preta, segundo consta (repetimos tem uma coisa na consciência e outra na boca), todavia é doutorado pela Faculdade de Direito, tem ocupado diversos cargos e atualmente está gozando de uma jubilação como professor de instrução secundária da província."

A *União* sabe que essa jubilação foi toda acintosa, e que o redator principal do *Homem* teria sido demitido se pudesse sê-lo; mas não fale ela tão altaneira, porque, mais dias menos dias, pode ser que logo seja também descarregado sobre seu proprietário e principal redator um golpe igual ao que sofreu o redator do *Homem*, porque ambos são, segundo consta, da mesma cor, sendo somente ele um pouco mais *fulinho*. (*O Homem*, n. 3, p. 4)

Sendo Collaço o editor do jornal, teríamos, então, um homem de cor preta, livre, doutor em Direto, professor de instrução secundária e provavelmente funcionário público. Os indícios oferecidos por sua atuação docente e na imprensa sugerem que sua formação acadêmica na Faculdade de Direito possa ter ocorrido anteriormente à década de 1870, antes, portanto, da consolidação, naquela instituição, das teorias racialistas como chave explicativa e instrumento de administração dos destinos da sociedade brasileira. Apreensivo com os resultados da franca recepção daquelas ideias, é muito cabível que Collaço tenha apostado na edição de *O Homem* como um meio de se contrapor a esse estado de coisas. Em todo caso, trata-se de uma pesquisa ainda por ser feita.

A tarefa de pôr *O Homem* na rua não foi desempenhada por uma só pessoa. Não encontrados documentos que desmentissem a presença de Felipe Nery Collaço na obra, tal informação foi acatada. Contudo, o jornal contou com a participação de outros colaboradores e, a partir do quinto número, deixou de ser uma propriedade individual: "O *Homem* passou a ser propriedade de uma associação. Pondo de parte esta ligeira modificação, continuará do mesmo modo que até o presente advogando a mesma causa, e propugnando pelos mesmos objetivos e pelo mesmo fim" (*O Homem*, n. 5, p. 3) – alteração confirmada no cabeçalho das edições seguintes.

São poucos os textos identificados com a assinatura de seus respectivos autores. Entre esses, a maioria corresponde à transcrição de trechos e artigos anteriormente publicados, o que não permite dizer algo sobre a composição da tal associação. De todo modo, o jornal deve ter sido um feito de "homens de cor", pois é desse lugar que o narrador ou os narradores se apresentam nos escritos de opinião e nos artigos de fundo que abrem quase todas as edições. Tanto isso era regra que, se uma pessoa branca tivesse seu texto publicado, o fato era rigorosamente notificado. A primeira ocorrência desse tipo encontra-se no quarto número, de 3 de fevereiro, sendo assim apresentada:

> Em outra seção desta folha damos publicidade ao comunicado com que nos honrou o Sr. que assina *Um que não é de cor*, e para o qual chamamos a atenção de nossos leitores. O ilustrado comunicante compreendeu perfeitamente o nosso pensamento e faz perfeita justiça aos nossos sentimentos... (*O Homem*, n. 4, p. 2)

O expediente não era, pois, fortuito. Além de servir para reafirmar os objetivos da folha, a publicação daquele artigo e de outros escritos com a mesma origem contribuiriam para ampliar a legitimidade do trabalho desenvolvido. Em resposta aos insultos que *O Homem* ora recebia, aproveitou-se o ensejo para dizer: "não trabalhamos, como querem inculcar os mal intencionados, para plantar a desunião na famí-

Imprensa negra no Brasil do século XIX

lia brasileira, trabalhamos sim para mais fortemente uni-la". Indo ao encontro da linha editorial do periódico, o artigo do "que não é de cor" parabeniza a iniciativa e aposta na reversão próxima do quadro de desigualdades:

> Os interessados na manutenção do *status quo* gritam, berram, ridicularizam, descompõem (é só isso o que podem fazer), mas a despeito de todos esses meios merecedores de toda a reprovação dos homens imparciais e justos, a ideia nova, mais cedo ou mais tarde, ficará vitoriosa. [...] Avante pois o *Homem*, avante! (*O Homem*, n. 4, p. 3)

Em outra ocasião, divulgar a produção intelectual de um homem branco justificava-se pelas informações nela transmitidas, importantes para o crescimento político-cultural do público. Assim ocorrera com o artigo "O Brasil de 1870", do ex-deputado pelo Partido Liberal Antonio Alves de Souza Carvalho, transcrito no décimo número de *O Homem*. "O autor não pertence à classe dos homens de cor, mas seu espírito justiceiro leva-o a não desfigurar a verdade", introduz o comentarista da folha (*O Homem*, n. 10, p. 3). Tem-se ali um exame da situação política de então, o que inevitavelmente conduzia à abordagem das leis e práticas de recrutamento, da Guarda Nacional e da organização policial. Falar disso era o mesmo que tratar do arbítrio das "influências oficiais" contra as "classes mais numerosas":

> Por meio do recrutamento, a autoridade pode legalmente, e a seu talante, mandar agarrar qualquer cidadão dos não excetuados, metê-lo em um calabouço, fazê-lo caminhar para a capital da província a pé e com as cautelas

necessárias para não fugir, assentar-lhe praça no exército ou na armada, embarcá-lo e obrigá-lo a viajar para a capital do império no convés de um vapor, remetê-lo daí para os confins deste vasto país, retê-lo no serviço militar por tempo longo e indeterminado, apartá-lo ordinariamente para sempre de sua família e de suas afeições, de seus hábitos e interesses, fazê-lo morrer longe de sua terra pela mudança de clima ou pelos efeitos da guerra. (*O Homem*, n. 4, p. 4)

Ainda que tais ações fossem do conhecimento de todos e principalmente das autoridades competentes, na medida em que recaíam quase "exclusivamente sobre classes desvalidas, que há longo tempo vivem no abatimento", os governos não priorizavam sua suspensão. Até porque, como pergunta Souza Carvalho: "Quem são, na verdade, os recrutas remetidos para o exercício da marinha, os guardas nacionais, e as vítimas mais numerosas dos vexames policiais?". Sem mais, dá a resposta: "São quase todos homens de cor. É por assim dizer um resto de escravidão que ainda pesa sobre eles. É uma opressão que os descendentes de portugueses, escravos dos romanos, exercem sobre os descendentes de africanos, escravos dos portugueses" (*O Homem*, n. 4, p. 4).

A julgar pelo debate que se segue, articulista e comentarista compartilhavam a opinião de que a dominação de um grupo racializado sobre outro seria garantida pela manutenção da ignorância, especialmente entre os oprimidos, o que levava a um alerta aos beneficiados pela injustiça: "Dai graças a Deus não conhecerem as nossas classes mais numerosas os seus direitos e sua força. De outro modo não ousaríeis fazê-las passar por vexações tão ignominiosas" (*O*

Homem, n. 4, p. 4). Tal gesto retórico se fazia importante naquele contexto para despertar a atenção dos leitores, de modo que a alegada ingenuidade dos "homens de cor" fosse ininterruptamente minada por esclarecimentos como aquele.

Curioso é pensar sobre a recepção desse material numa cidade que, em 1872, contava oficialmente com cerca de 30% de sua população sabendo ler e escrever, fração que incluía, vale dizer, algumas pessoas escravizadas. O surgimento e a manutenção dos veículos da imprensa dependiam da existência de um público leitor mínimo, de acordo com as orientações das folhas e que fizesse as assinaturas. Afora os registros de leituras em voz alta, que favoreciam a divulgação das ideias entre o público iletrado, e outros tanto esforços corriqueiros em nome do letramento e da instrução, é interessante pensar sobre as possíveis proximidades com outras experiências mais objetivas, a exemplo do projeto educacional da Sociedade dos Artistas Mecânicos e Liberais. Essa sociedade, organizada em meados dos anos 1830 e oficialmente fundada em 1841, atravessou o século XIX com o empenho de capacitar seus membros, homens negros em sua maioria, com conhecimentos técnicos importantes para o desempenho dos ofícios, bem como oferecer formação elementar de leitura e escrita (Luz, 2008 e MacCord, 2009). A publicação de *O Homem*, em 1876, contava, portanto, com um contexto propício para ter um público leitor e ouvinte em conformidade com seu programa político.

Ainda no terreno das garantias para a existência e o fortalecimento da empreitada, o periódico buscou evidenciar seu lastro na imprensa e dar mostras de sua articulação com outros órgãos, a fim de se legitimar perante o público. Muito mais do que a marcação de conflitos e controvérsias – como foi o caso das polêmicas com *A Província* e *A União* –, as referências a outros periódicos permitem visualizar grupos e linhas de pensamento com os quais se aproximava, dialogava ou mesmo procedia ao atento acompanhamento. Houve, por exemplo, oportunidade para manifestações de apoio e familiaridade com *Luz* e *Echo Artístico*, jornais antecessores cujas respectivas redações haviam lhes remetido exemplares, "porque deles se vê que não somos os únicos que levantamos a voz em favor da classe popular oprimida, nem os primeiros que falamos em seleção por parte dos governantes em favor de uma das classes em que nossa população se acha dividida com desprezo e menoscabo da outra" (*O Homem*, n. 3, p. 2). Do mesmo modo, ao longo das outras edições, transcrevem-se fragmentos de periódicos que anunciavam a insatisfação perante os atos arbitrários e as manifestações de poder pessoal empreendidas nos níveis de governo municipal, provincial e geral. Para a formação desse coro de descontentes, *O Homem* acionou, por exemplo, o *Pharol do Norte*, do Recife; o *Diário da Bahia*, de Salvador; a *Ordem*, de São Paulo; e o *Correio da Tarde*, do Rio de Janeiro.

O estabelecimento de seções fixas também serviu para marcar as posições políticas da folha. Foram elas: "Homens de Cor Vítimas da Política Conservadora dessa Província", "Galeria de Homens de Cor Ilustres", "Noticiário", "Variedades", "Transcrições", "Folhetim", sem falar dos artigos de fundo, gênero jornalístico semelhante ao editorial da atualidade. Tais espaços guardavam uma infinidade de questões que merecem tratamento mais detido, mesmo que não exaustivo. Até aqui as preocupações deste texto giraram em torno da construção de um panorama acerca do desenvolvi-

Imprensa negra no Brasil do século XIX

do pelo jornal negro *O Homem: Realidade Constitucional ou Dissolução Social*. Nas próximas páginas, a atenção será voltada para alguns detalhes.

A COR NA POLÍTICA: IDAS E VINDAS DA RESISTÊNCIA NAS PÁGINAS DE *O HOMEM*

Recife, 20 de janeiro de 1876, mais uma quinta-feira do verão pernambucano. Da cidade, da província, da Nação... De qualquer perspectiva, observadores diletantes ou tarimbados teriam muito a perceber e registrar acerca do dia a dia naquelas terras trópico-brasileiras. Cenas corriqueiras ou episódios inusitados. Uma alma sensível poderia arranjar tudo isso na composição de narrativas leves escritas no ritmo da relaxante brisa dos rios e do mar. Um espírito prático, por sua vez iria direto ao que lhe tocasse mais de perto! Outro, ainda, tendendo à "imparcialidade", optaria pelo meio-termo: falaria de tudo e todos para falar de si e por si... Muitas opções eram possíveis aos que desfrutavam o benefício da argumentação individual. Certamente, várias delas puderam se materializar.

Num mundo regido por privilégios, algumas vozes só existiram porque se estruturaram coletivamente e, assim, conseguiram vencer os obstáculos e os caprichos de certas individualidades influentes. Munido desse ânimo, *O Homem: Realidade Constitucional ou Dissolução Social* alcançava naquele dia o seu segundo número, dizendo:

> Venha donde vier a chufa, já nos não espanta nem inquieta. Já estamos acostumados a tragar a afronta com sangue frio imperturbável. Esse tem sido sempre o nosso

manjar cotidiano. Já os nossos antepassados falavam-nos de outros muito piores. Em todas as reuniões e ajuntamentos onde não entramos senão à surdina, temo-las ouvido e na ausência não faltam se por ventura calam na presença com afetada e altaneira urbanidade. [...] [Mas] sem assomos nem de soberba nem de jactância, diremos, para que todos saibam, que temos consciência do que valemos, que nos conservamos impávidos porque sabemos o que significamos e o que representamos no plano da natureza [...] Em uma palavra, continuaremos a trabalhar para ocuparmos o lugar que nos compete e nos está destinado na sociedade brasileira, para darmos-lhe mais lustre e realce com a seiva espontânea da nossa têmpera opulentíssima e de projeções ainda não conhecidas. (*O Homem*, n. 2, p. 3)

O trecho é parte do primeiro artigo intitulado "Os mulatos em cena", denominação extraída do comentário sarcástico que a gente "dos salões e das esquinas privilegiadas" teria feito sobre o surgimento de *O Homem* e outros eventos próximos. Fruto de previsões ou observações constatadas, essa contraposição apresentada no jornal mais uma vez apregoava a indisposição dos ali congregados em relação à dinâmica social que em larga escala se valia da subjugação da população negra. Desde muito, insultos e escárnios teriam deixado de surpreendê-los. E a serenidade diante de tais fatos era herança acumulada e passada por gerações.

Naquela conjuntura, quando práticas discriminatórias costumeiras eram reorganizadas e fortalecidas mediante variado repertório científico, que legitimava a crença na inferio-

Imprensa negra no Brasil do século XIX

ridade congênita e na degeneração dos negros (Schwarcz, 1993 e Sá Barreto Júnior, 2005), *O Homem* não só forçava seu acesso ao debate público, como também, munido de cientificidades, rebatia teses poligenistas que desqualificavam os "homens de cor". Diante de questões tão prementes, o tema da eugenia humana foi enfrentado logo no número inicial. O humanismo iluminista de Descartes fora tomado como ponto de partida: o ser humano seria composto por duas substâncias básicas – corpo e alma/matéria e mente –, tendo todos origem na criação única de Deus. Pela lógica, então: "Iguais no corpo, iguais no espírito, não há entre eles senão diferenças acidentais. Nenhum, portanto, se pode considerar superior aos outros, pois que todos são gerados do mesmo modo, nus, fracos, faltos de tudo; e morrem igualmente, sendo afinal seus corpos reduzidos a pó sem exceção para nenhum" (*O Homem*, n, 1, p. 2). Outros pensadores monogenistas, a despeito dos limites de suas teorias para os interesses do jornal, tiveram suas reflexões utilizadas para reafirmar a invalidade das hierarquias entre as raças. Entre esses, Buffon, convencido da unidade da espécie humana, e Pierre Flourens, fisiologista que, entre outras, demonstrou equívocos nas explicações da frenologia, teoria que pretendia ser capaz de determinar traços da personalidade dos indivíduos por meio da forma da cabeça (Kristensen *et al.*, 2001):

O homem, diz Buffon, branco na Europa, preto na África, amarelo na Ásia e vermelho na América, não é senão o mesmo homem tinto com a cor do clima.
Meus estudos anatômicos, diz Mr. Flourens, convenceram-me de que a pele dos homens de raça caucásica

(branca) e a dos homens de raça etíope (preta) são a mesma pele. [...] Nas camadas mais profundas das células do epiderme interno reside a matéria colorante chamada *pigmentum*; é esta matéria que colora a pele do negro. Notemos bem que o *pigmentum* não é uma membrana, nem um órgão, senão granulações amorfas que se desenvolvem nas células do epiderme. (*O Homem*, n. 1, p. 2)

Fazia-se, assim, um uso estratégico das ideias disponíveis. Ao articulista de *O Homem* cabia selecionar o que fosse mais proveitoso a seus propósitos, uma vez que os mesmos postulados também estavam sendo usados para chegar a conclusões diametralmente opostas. Em *A invenção do ser negro* (2002, p. 21) Gislene Aparecida dos Santos chama atenção para um traço ambíguo dos produtos do Iluminismo, nos quais se admite uma origem comum para a humanidade e, paralelamente, se legitima a hierarquização entre os grupos e os indivíduos: "Ao mesmo tempo em que defende a tolerância e os direitos dos homens, oferece elementos para a construção de um conceito de homem restrito aos parâmetros europeus e intolerante quanto às diferenças entre este e os outros povos".

Assim, mesmo que aquele extrato da argumentação de Buffon tivesse grande valor para a construção do artigo, outros poderiam ser extremamente nocivos aos interesses defendidos pelo impresso. Como nos informa Kabengele Munanga (2004, p. 28): "Em 1766, Buffon acrescenta que a mestiçagem [seria] o meio mais rápido para reconduzir a espécie a traços originais e reintegrar a natureza do homem: bastariam, por exemplo, quatro gerações de cruzamentos

Imprensa negra no Brasil do século XIX

sucessivos com o branco para que o mulato perdesse os traços degenerados do negro". Se por astúcia ou ignorância, não se sabe; o certo é que a folha não mencionava esses detalhes. Em vez disso, exaltava personalidades como Henrique Dias; Juarez, o restaurador da República mexicana; Alexandre Dumas, pai e filho; José da Natividade Saldanha, poeta pernambucano; Antonio Pereira Rebouças; e Francisco Gê Acaiaba de Montezuma – em sua maioria, apontados como "mulatos".

Duas semanas depois da publicação do ensaio, na linha do artigo "Os mulatos em cena", a folha novamente destacou a importância dos "homens de cor" na edificação do país. Muito mais do que contribuir para um projeto que lhes era alheio, são ali exaltados como as pessoas que viabilizaram a construção da jovem nação:

Não há canto do Brasil onde não tenhamos derramado o mais precioso do nosso sangue em defesa das instituições nacionais e manutenção da ordem; nem mesmo no chão estrangeiro, em desafronta da pátria ultrajada.
Ofícios, artes mecânicas e liberais, serventuários, enfim todos os misteres é ao nosso renque que vem buscar a gente que os exerce.
Construímos os palácios e todos os edifícios públicos, erguemos os monumentos com o nosso tino e vigor, enfim nada se faz nem se tem feito no Brasil sem o nosso esforço e prestância.
Ainda mais. As nossas encantadoras irmãs, pobres de ordinário por inevitável capricho da sorte, servem nas casas dos ricos e aquantilados; são elas que amamentam os filhos dos fartos e contentes. (*O Homem*, n. 3, p. 2)

O que faltaria, então, para que "a igualdade de todos os cidadãos perante a lei sem distinção alguma, além da de seus talentos e virtudes" fosse assegurada? Na opinião de *O Homem* restaria apenas, da parte das autoridades, a observância e a manutenção do pacto fundamental que regia o país. Apesar de simples, a proposta, partindo de onde partia, incomodou. Um interessante exemplo encontra-se numa polêmica travada entre *O Homem* e *A Província*, órgão que fazia frente à oligarquia pernambucana e que poderia ser um aliado natural do jornal negro, especialmente por seus esforços em nome da realidade constitucional. A contenda, que atravessou sete números, começa com a resenha de dois textos opinativos publicados a respeito do aparecimento de *O Homem*.

Em 15 de janeiro, *A Província* saudava *O Homem* por ser "protegido pelos princípios e teses mais verídicas e inconcussas" e "amparado por tão fortes protetores e por verdades que ninguém mais ousa contestar" e vir a público com a nobre tarefa de promover a instrução e o desenvolvimento dos "homens de cor", bem como a defesa de seus interesses e dos demais oprimidos. Ciente do grande desafio que aguardava os responsáveis pelo periódico, *A Província*, fraternalmente, alertava: "Não cremos que a indiferença seja tal que o *Homem* passe despercebido. Antes supomos que por muita gente será recebido com vaias e sarcasmos, e que os cochichos dos salões e das esquinas privilegiadas, e das lojas de pura escolha tomarão para tema de suas palestras – *Os mulatos em cena*" (*A Província*, n. 772 *apud O Homem*, n. 2, p. 1). Tudo parecia correr na mais plena harmonia, tanto que houve oportunidade até para um arremate pomposo: "Seja como for, não deixaremos nunca de saudar qualquer novo representante da imprensa".

Imprensa negra no Brasil do século XIX

Passadas vinte e quatro horas, o novo número da *Província* trazia argumentos opostos aos do dia anterior: "O branco tinha deixado de ser branco, o preto tinha deixado de ser preto, o bem tinha deixado de ser bem, o mal tinha deixado de ser mal. Ainda mais. O branco tinha passado a ser preto, o preto tinha passado a ser branco, o bem tinha passado a ser mal, o mal tinha passado a ser bem" (*O Homem*, n. 2, p. 1). Já no primeiro artigo, *A Província* dava pistas de sua instabilidade. A respeito da proposta do debate racial, a folha declaradamente se furtara à emissão de juízo a respeito, sob o argumento de precisar de mais observação e reflexão sobre o assunto para poder "conhecer de que lado [estava] a razão e a verdade". Caprichosamente, a difícil questão foi solucionada no intervalo de duas xícaras de chá, quem sabe até num daqueles salões da "boa gente", de que se falava. O novo ponto de vista veio firme e cheio de autoridade. Aquilo entendido como idêntico ao seu trabalho permaneceu elogiado pela *Província*. "Quanto porém à especialidade da propagada em favor dos homens de cor, acrescenta ela, nenhuma razão tem o periódico *O Homem*. Sua tarefa nesse ponto é ociosa, impolítica, geradora de ódios e desunião, etc., etc." (*A Província*, n. 773 *apud O Homem*, n. 3, p.1). O objetivo principal de *O Homem* deixara de ser digno de louvor e passara a ser alvo de aguda reprovação sob o argumento de "contrariar os grandes princípios de liberdade, igualdade e fraternidade!". Mas o jornal não deixou por menos e, mediante uma pergunta, arriscou encurralar *A Província* e todos os que compartilhavam de opinião parecida:

Desde quando, perguntaremos, é considerada coisa reprovável e digna de censura procurar uma classe numerosa em um país qualquer reunir-se para, pelos meios aconselhados pelas circunstâncias, mas sempre dentro da órbita legal, tratar de apertar os laços naturais que ligam seus membros uns aos outros e promover mais e mais sua instrução e sua moralização? (*O Homem*, n. 3, p. 1)

A réplica imediata não foi o suficiente para desmontar o circo armado pela *Província*. Após a mudança de opinião, os argumentos dessa folha pretendiam ir mais longe: "Na classe dos homens de cor, como na dos descendentes de Cáucaso, há homens ilustrados e há homens ignorantes. A gente ignorante poderá compreender até onde quer ir o *Homem*, e o fim de sua propaganda?" (*A Província*, n. 773 *apud O Homem*, n. 5, p. 1). Além de subestimar o próprio jornal em sua capacidade de interlocução, desdenhava de boa parte do grupo ao qual esse se dirigia. Em vez de enfraquecer, serviu como munição para *O Homem*:

De que gente ignorante fala a *Província*? Será da que pertence à classe dos pretensos descendentes de Cáucaso ou da que pertence à classe dos homens de cor, ou de uma ou de outra juntamente?

Parece que o contemporâneo quer referir-se somente aos segundos e não aos primeiros; entretanto, declaramos-lhe com toda a franqueza que pela nossa parte nos dirigimos não somente a uns senão ainda aos outros.

Dirigimo-nos *à gente ignorante dos pretensos descendentes de Cáucaso* para que fiquem sabendo que não são em nada superiores a nós; dirigimo-nos à gente ignorante da classe dos homens de cor para que fiquem sabendo que

Imprensa negra no Brasil do século XIX

não são em nada inferiores aos outros, pelo que pertence a natureza, porque essa é a mesma em todos.

Proclamamos essa verdade, é nosso propósito: 1º combater o orgulho infundado e a insolência de uns que, sem talentos e virtudes, únicas reconhecidas pela lei fundamental do país, julgam-se superiores a muitos que são ornados de umas e outras destas qualidades somente porque se dizem descendentes do Cáucaso; 2º elevar os brios e dignidade dos outros, muitos dos quais, pela sua ignorância e pela força do hábito, creem que, com efeito, aqueles lhes são superiores. (*O Homem*, n. 5, p. 1)

O temor de que o protesto estimulado por *O Homem* desembocasse numa "economia separada" ou em "independência ou revolta a favor da classe dos homens de cor" era mais um recurso de retórica de quem advoga contra outrem ou desconfiança de quem sabia dos perigosos de tamanha desigualdade, do que algo vislumbrado com a leitura do jornal. Ali o preconceito de cor, que pressupunha a hierarquização das raças, era trabalhado como um problema de toda a estrutura social. Não se tratava apenas de uma situação difícil a ser vivenciada restritamente pelos não brancos. Os "pretensos descendentes de Cáucaso", preocupados com "a ideia do predomínio exclusivo", seriam tão ou mais problemáticos que os alvos diretos da discriminação, os negros e indígenas, na medida em que eram peças-chave para a manutenção da exclusão. Diante de raciocínio tão amplo, a *Província* ficava até mesmo sem fatos a apresentar.

Sem falar que, diferentemente do que aquele diário pretendia fazer acreditar, o impresso negro não questionava o reconhecimento individual do mérito. O que se queria era a ocupação dos espaços que eram de direito por aqueles que, apesar das adversidades, desenvolvessem seus talentos e virtudes. Em outras palavras, as práticas cotidianas que tolhiam o progresso das pessoas negras, em sua coletividade – gente preta, parda, de cor, livre, liberta ou ainda escravizada –, serviam de base para os protestos do jornal, sem necessariamente chegarem às páginas como uma proposta de levante diante de tantas atrocidades. A postura era bem menos pungente do que acusava *A Província*, embora a conquista de objetivos tão primários representasse um abalo indesejável às elites. Uma vez que o preconceito fosse eliminado, todos poderiam se apresentar em suas potencialidades, naquele momento represadas pelo arbítrio das elites brancas, que se julgavam superiores.

Pelo menos no nível do debate público, tanta argumentação parece não ter sido em vão. No sétimo número, a "ilustrada redação do *Homem*" rejubila-se:

> Mais cedo do que esperávamos, vão sendo seus esforços coroados pela vitória. Cinco números têm sido apenas publicados e já seus adversários emudeceram. Ainda mais, nenhum se atreveu nunca a sustentar em público o preconceito absurdo e estúpido da distinção dos homens pelas cores – é coisa admirável! (*O Homem*, n. 7, p. 3)

Com esse comunicado findava-se aquela peleja. Todavia, mais demonstrações de violência seriam seguidas por outros combates travados nas páginas de *O Homem*. Por força do hábito, o impresso discorria sobre essas questões sempre da perspectiva da legalidade, e não deixava de fazer duras críticas às circunstâncias merecedoras de reprovação. A

Imprensa negra no Brasil do século XIX

crise da administração pública era assunto recorrente. Certa feita, o impresso fez suas as palavras do *Correio da Tarde* para apresentar sua perspectiva, bem como expor outras nuances do problema:

A administração pública mente, ilude a justiça, distribui o orçamento pelos compadres e sobrinhos e pelas grossas falanges de bajuladores e admiradores. A justiça pública mente, atrofia o direito, suborna-se, oprime as partes e, subserviente, serve ao governo como dócil instrumento. E os partidos, ou os grupos que se agitam e lutam sob tal denominação, que lhes não compete? Esses mentem descaradamente, falseiam a opinião, corrompem-se, transigem, derramam o sangue do povo, ao passo que descuram assuntos sérios, fundem-se e refundem-se, mas não pretendem outra coisa mais que a posse do governo e do tesouro! (*Correio da Tarde apud O Homem*, n. 4, p. 4)

O Homem entendia que aquele estado de coisas contribuía para manter falhas e lacunas que afetavam a vida e os interesses da população negra. Em todo caso: "Felizmente a classe dos homens de cor não carrega com semelhante culpabilidade. Pronta sempre a concorrer com seu trabalho e com o seu sangue para o engrandecimento e defesa da pátria, os áulicos conservaram-na, com receio, apartada da gestão dos negócios públicos" (*O Homem*, n. 8, p. 1). Categoricamente, defendia-se que, mesmo presente nos mais diversos momentos, a gente negra teria sido chamada pela administração pública apenas para assegurar vantagens firmadas tantas vezes em seu próprio prejuízo. Outro agravante viria do fato de que tais gestos de cooptação quase sempre se valiam do incitamento ao patriotismo – seja dos que desfrutavam cidadania formal ou dos que buscavam conquistá-la. À luz do "estado lastimoso que pretensos descendentes de Cáucaso hão levado o Brasil", a Guerra do Paraguai (1864-1870), em fina sintonia com essa tensão, não deixou de se comentada:

> Só com a Guerra do Paraguai, que poderiam ter evitado, gastaram 600 mil contos de réis (com menos dessa quantia teriam libertado todos os escravos que há no país) e sacrificaram 100 mil brasileiros, sem nenhuma utilidade real para a pátria.
> É certo que desses 100 mil brasileiros que lá morreram, 93 mil eram, sem dúvida nenhuma, pertencentes à classe da gente denominada de cor, para cujo patriotismo se apela sempre no dia de perigo e *da eleição*, mas que passados estes é invariavelmente depois tratada com a altivez e menoscabo de costume. (*O Homem*, n. 6, p. 2-3)[15]

Apesar de se reconhecer a debilidade das "coisas públicas", insistia-se em reprovar os hábitos locais no intuito de convencer o público acerca da utilidade dos modelos ideais, numa espécie de profissão de fé para que sua efetivação pudesse ser viável um dia: "Façam pois o que fizerem, tramem o que quiserem, o dia da redenção há de afinal chegar para o Brasil, como tem chegado para outros países. Ninguém é bastante poderoso para fazer parar o carro do pro-

....

15. Jorge Prata de Sousa apresenta outros detalhes dessa marcante participação dos negros nos Corpos de Voluntários da Pátria (Souza, 1996).

gresso" (*O Homem*, n. 8, p. 1). Nessa crítica ao poder do Estado e suas instituições, o artigo de fundo que abre a nona edição de *O Homem* trouxe o exemplo do "Mestre de Campo Henrique Dias, governador dos crioulos, pretos e mulatos do Brasil", a fim de sustentar a ideia de que, mesmo vivendo no século das trevas, submetidos ao Absolutismo, homens negros livres e libertos desfrutavam posições sociais importantes nas instituições militares do império português (Mattos, 2007). Ao rememorar o valor dessa personalidade e aludir à existência de outras próximas em importância, o periódico expunha a crença de que, tempos atrás, "a cor preta [de Henrique Dias] não foi um obstáculo para que lhe fossem conferidas tão distintas honras" (*O Homem*, n. 9, p. 1).

Diante desse cenário de progressiva tensão, construído ao longo dos séculos XVIII e XIX, exemplos como esses eram usados na tentativa de constranger os responsáveis pelos atos discriminatórios e alertar os demais sobre os perigos à volta. Após a Independência, os homens negros eram afastados dos cargos públicos, políticos e militares, a ponto de, na década de 1870, esta queixa se justificar:

> Mostrem-no atualmente em toda a província de Pernambuco um só coronel, um só major da guarda nacional que seja da cor parda! Mostrem-no um só capitão, um só tenente que seja da cor preta!
>
> Tínhamos antigamente batalhões de milicianos de homens pretos e pardos, todos comandados e tendo por oficiais cidadãos pertencentes às mesmas classes. Conhecemos ainda um coronel de nome Joaquim Ramos, homem preto morador à praça da Boa Vista, e um tenen-

te-coronel de nome Joaquim de Siqueira Varejão, também da mesma cor. Nossos maiores falavam-nos de vários outros pertencentes às mesmas classes, bem assim de um grande número de oficiais de patente menos elevada. Tudo isso acabou. (*O Homem*, n. 9, p. 1)

A explicação habitual para justificar a situação dizia que os "homens dessas classes teriam degenerado de seus progenitores" e que, portanto, não teriam mais talentos para honrar tais atribuições... O argumento estava de acordo com as alegações autorizadas pelas leis, mas, por não estar embasado nos fatos, impelia *O Homem* a questionar: "Seja ela qual for [a atual razão], perguntaremos, o que ganharam pessoalmente os homens de cor com a proclamação da independência e do império, para a qual tantos sacrifícios fizeram?" (*O Homem*, n. 9, p. 1). A resposta indicava uma exclusão generalizada e retornava à queixa central: o acirramento da discriminação racial contra os negros no decorrer do século XIX.

Em meio a tantas questões a levantar sobre o futuro dos cidadãos pretos e pardos, o jornal tratou daquela cujo impacto permanecia indiscutível em suas vidas e, por mais delicada que fosse, não poderia deixar de ser abordada: a escravidão. A degeneração social à qual as "classes dos homens de cor" estaria exposta não encontrava explicação em qualquer hereditariedade africana, mas no mal causado pelo sistema escravista. Esse, portanto, tinha de ser extinto o quanto antes. Discordando em absoluto das insistentes propostas de uma abolição gradual, defendia-se que: "A extinção final virá, não como esperam alguns, mas por meios extraordinários. A escravidão é nó que não se desata, é preciso cortá-lo" (*O Homem*, n. 9, p. 1).

Imprensa negra no Brasil do século XIX

A intervenção inglesa contra o tráfico ilegal, os exemplos vindos da Rússia e dos Estados Unidos, o impacto da Guerra do Paraguai e até mesmo a lembrança de como se deu a promulgação da Lei do Ventre Livre, em 1871, fizeram acreditar cada vez mais que a resolução estava próxima. Para que a operação não fosse tomada pela mão de "algum ousado especulador" que se colocasse à frente das "massas populares irritadas", "a sabedoria aconselha que antes que isso possa vir a ter lugar, um prático de mão segura proceda com critério à operação necessária, e esse prático entre nós não pode ser outro que o Sr. D. Pedro II" (*O Homem*, n. 10, p. 2). Ou seja, o desfecho passava ainda por uma aposta nos instrumentos do Império, mesmo porque, até então, as resoluções mais emblemáticas tinham passado por aí:

> Se não nos enganamos, a operação está prestes a ser executada; e a mácula que ainda envergonha a nação brasileira vai ser apagada.
> Todos sabem que S. M. o Imperador deixara o porto do Rio de Janeiro com destino à Filadélfia no dia 26 do corrente, e que dali irá outra vez visitar a Europa, estando fora do Brasil pelo espaço de dezoito meses.
> O motivo alegado para esta longa ausência é a saúde de S. M. a Imperatriz, mas bem pouco perspicaz será quem não vir que esse motivo é outro muito diferente. (*O Homem*, n. 12, p. 1)

Havia já um ano que o imperador recebera licença da Assembleia Geral para ir ao estrangeiro cuidar da saúde da esposa. A demora era vista com estranheza. Seis anos antes, algo parecido ocorreu, quando um cenário foi criado para a promulgação da Lei do Ventre Livre. As especulações arriscavam que, valendo-se da mesma desculpa e seguindo os conselhos do ex-presidente Abraham Lincoln, D. Pedro II ausentara-se do Brasil a fim de proteger-se da ação de algum inimigo e, ao mesmo tempo, "deixar a glória do ato à sereníssima princesa imperial, que em nome dele ficara regendo o império, e aumentar-lhe assim mais a popularidade de que com justiça já gozava". Era uma oportunidade ímpar para a Monarquia se redimir – perante a insatisfação popular e o aumento da pressão externa – do fiasco de que a lei de 1871 era acusada:

> Seis anos são passados e quase nada se há feito relativamente a esse assunto de tão vital interesse para o Brasil. Ainda mais, a escravidão, que no princípio parecera desanimada, a ponto do preço dos escravos, principalmente das escravas, ter descido a quase nada do que era, cobrou ânimo, e os fazendeiros, contando com a persistência dela ainda por longos anos, não duvidam mais pagar por qualquer escravo o preço que eles ao princípio tinham. (*O Homem*, n. 12, p. 1)

Havia até previsão de data para a apresentação da proposta que extinguiria de vez o sistema escravista, sem qualquer indenização aos escravocratas. A Assembleia Constituinte receberia o projeto das mãos da princesa Isabel em 31 de dezembro de 1876. Nisso também confiava *O Globo,* jornal que circulava na Corte: "Será um sonho tudo isso que acabamos de escrever? O tempo o mostrará" – finalizava o artigo. O tempo mostrou que tais expectativas eram um erro de cálculo. Seriam precisos mais doze anos para que tal profecia fosse cumprida.

Imprensa negra no Brasil do século XIX

O mais importante é que, distintamente do que se tornara comum à época, as páginas do jornal não foram ocupadas para promover a escravidão ou beneficiar-se dela – seja por meio de anúncios de venda, compra ou recuperação de pessoas escravizadas, seja para a defesa de sua permanência. Em vez disso, uma ampla força-combate foi acionada para minar a legitimidade daquele sistema de exploração humana. Não por acaso, Leonardo Dantas Silva, em *A imprensa e a abolição* (1988), atribui a *O Homem: Realidade Constitucional ou Dissolução Social* a responsabilidade de ser o primeiro jornal abolicionista de Pernambuco – embora não destaque sua originalidade da perspectiva da imprensa negra naquela província e no Brasil.

O compromisso assumido solicitava a interferência em várias frentes. Em suas páginas houve lugar até mesmo para a indicação de lutas futuras, pois a garantia da justiça formal para toda a população era encarada como a base para a conquista de outras reivindicações. Pelo percurso traçado por *O Homem*, no momento em que igualdade formal fosse assegurada, a próxima demanda a se buscar seria a garantia de educação pública:

Queremos que a governança do país, seja qual for a parcialidade que pertencer, trate seriamente da instrução pública, dando-lhe uma projeção elevada, organizando-a com discrição, assentado-a em fundamentos sólidos de modo que possa resistir a todos os embates das nossas mesquinhas lutas políticas. [...] Queremos instrução porque da ignorância crassa provém grande parte das nossas misérias; o atraso geral em que nos achamos dessa fonte dimana principalmente. (*O Homem*, n. 6, p. 1-2)

Ana Flávia Magalhães Pinto

Enquanto isso não acontecia, o jornal fazia sua parte. As próximas páginas são dedicadas à reflexão sobre as estratégias construídas em *O Homem* para instruir seu público na defesa de seus direitos como cidadãos.

EDUCAÇÃO CÍVICA, DENÚNCIA E EXALTAÇÃO DOS EXEMPLOS – AS PRÁTICAS SOCIOPEDAGÓGICAS DE *O HOMEM*

Reconhecendo a importância da educação para a classe dos homens de cor, o jornal estabeleceu, como dito anteriormente, seções com objetivo de dar visibilidade aos atos arbitrários que atingiam seus pares, apontar exemplos a serem seguidos e algumas saídas possíveis aos problemas. As mais destacadas foram a coluna "Homens de Cor Vítimas da Política Conservadora dessa Província", a "Galeria de Homens de Cor Ilustres" e o "Noticiário", havendo possibilidade de extensão às "Variedades" e ao "Folhetim". Dessas passagens, além da marcação de conflitos, emergem pistas sobre trajetórias educacionais de alguns indivíduos negros, bem como dos mecanismos acionados para torná-las viáveis.

O primeiro caso diz respeito a um homem chamado Dr. Francisco de Paula Sales, apresentado na abertura da seção "Homens de Cor Vítimas da Política Conservadora":

Nascido de pais pobres de dinheiro, bem que ricos de honra e de virtudes, o Sr. Dr. Sales [...] viu-se obrigado no princípio a aplicar-se a uma das artes mecânicas para, por meio de seu trabalho, satisfazer as necessidades da vida, [...] mas o fogo divino que lhe aquecia a mente não

Imprensa negra no Brasil do século XIX

lhe permitiu permanecer tranquilo por muito tempo nesta modesta condição. (*O Homem*, n. 1, p. 3)

Conseguiu, então, ingressar na Faculdade de Direito, formou-se bacharel em ciências jurídicas e sociais e, tempos depois, alcançou o título de doutor. "*Labor improbus omnia vincit*" [O trabalho perseverante vence todas as dificuldades], eis o que deveria valer. Paula Sales se lançou a outras conquistas: foi nomeado chefe de uma das seções da secretaria da presidência da província de Pernambuco, oficial de gabinete de outro presidente e, afinal, instituído secretário da província durante a administração do presidente subsequente. No fim dos anos 1860, quando os liberais deram lugar aos conservadores no governo, as coisas mudaram para ele. "Daí data a perseguição traiçoeira feita aos homens de cor e o propósito de os ir excluindo dos empregos públicos para tirar-lhes toda a importância política". Dr. Sales foi demitido, "o que não censuramos, visto ser ele de política contrária à que dominava". Tendo já o desejo de compor o quadro docente da Faculdade de Direito, prestou concurso por cinco vezes, alcançou a primeira colocação em duas ocasiões, mas não foi admitido, pois a confirmação cabia ao chefe do Partido Conservador na região. Desse ponto em diante, o jornal passou a defender que as coisas tinham saído do plano das disputas partidárias:

Com essa exclusão foram ofendidos os princípios eternos de justiça; foi ofendida a lei fundamental do país que manda que não haja entre os cidadãos, relativamente aos empregos públicos, outra diferença que não seja a de seus talentos e virtudes; foi ofendida a dignidade da con-

gregação dos lentes da Faculdade que reconheceu os talentos e o merecimento do Sr. Dr. Sales como superiores aos dos outros concorrentes; foram ofendidos os interesses da mocidade estudiosa que em vez de ser instruída pelos mais dignos passou a sê-lo pelos menos dignos; foram desanimados os talentos superiores e animada a mediocridade; foi finalmente ofendida em seus brios e em suas legítimas aspirações toda a classe dos homens de cor, vendo-se assim, excluída na pessoa de um de seus mais dignos membros, embora tivesse ele em seu favor o juízo da única autoridade competente em tal matéria, a congregação da Faculdade!
Senhores de governança continuais a proceder assim deslealmente para com a classe mais numerosa do país, para com a única que trabalha, a única que, a falar propriamente, produz; mas não vos queixeis depois das consequências que vossos atos possam ter. (*O Homem*, n. 1, p. 3)

O Homem anunciou que daria continuidade às denúncias daquela natureza, o que se deu no quarto número. Era a vez de contar a história do Dr. Aureliano Augusto Pereira de Carvalho. Nascido no Recife, em idade devida, matriculou-se na Faculdade de Direito, quando essa ainda funcionava em Olinda. "Tal foi o seu comportamento e aplicação que, não obstante não ser da cor privilegiada, ou antes não obstante a sua cor, foi-lhe conferido o título de bacharel formado com plena aprovação de seus examinadores" (*O Homem*, n. 4, p. 2). Após anos de empenho, em meados da década de 1860, foi nomeado secretário de instrução pública pelo presidente Francisco de Paula da Silveira Lobo, permanecendo no cargo durante os mandatos do conde de Baependy, do

Imprensa negra no Brasil do século XIX

senador Frederico de Almeida, do Dr. Assis Pereira Rocha, do Dr. Portela e do conselheiro Diogo Velho Cavalcanti de Albuquerque, já em 1870, sob os auspícios do partido conservador. "Exercia o Dr. Aureliano seu lugar com a aptidão necessária, a contento dos diferentes diretores que aquela repartição tinha tido".

Quando Henrique Pereira de Lucena assumiu a Presidência da província, em 1872, começaram os apertos de Aureliano. Em cumplicidade com um compadre seu, Lucena teria armado uma cilada para retirar Aureliano do cargo, pois, "em sua opinião, como na de alguns outros orgulhosos e malévolos, era deslustre para uma repartição pública ter à sua frente um homem que não fosse da cor privilegiada". Como Aureliano não dava as menores razões para uma demissão justa, aproveitaram-se da morte do secretário e econômo do Ginásio Provincial, cargo de menor prestígio e rendimento, e realizaram sua transferência para esse posto, ainda solicitando o pagamento de fiança no alto valor de quinze contos de réis, cinco vezes maior que o convencional. "Como é fácil conjecturar-se, o Dr. Aureliano, homem sem bens de fortuna, não pôde dar a fiança exigida". Em seu lugar, admitiu-se um homem branco e sob a fiança de três contos de réis.

Diante da reprovação popular, Lucena usaria o subterfúgio da inocência: disse não saber das irregularidades, e que, tão logo vagasse um posto de juiz municipal no interior da província, no sertão, nomearia Aureliano. Pelos mesmos motivos de ordem financeira e também por conta da educação de seus filhos, não seria possível mudar-se, mesmo que um dia a tal requisição fosse efetivada. Sabendo disso, o presidente assim o fez. No fim das contas, Aureliano foi removido de seu emprego e acabou sem meios estáveis de subsistência. "Há ou não há dois pesos e duas medidas à disposição dos governantes desta terra para eles servirem-se conforme se trata de homens de cor ou de homens sem cor? E dizem que nos queixamos em vão!" (*O Homem*, n. 4, p. 2).

Se esse tipo de tratamento desigual era rotineiro, mais comuns e variadas se tornavam as denúncias, que não se limitaram a tratar apenas das arbitrariedades contra pessoas de maior destaque, a exemplo do que era informado nas colunas do "Noticiário". No quinto número, por exemplo, dois casos são apresentados. Sobre o primeiro, dizia-se que, na Rua do Cotovelo, na Boa Vista, uma senhora agredia "barbaramente a uma escrava parda de nome Ignez, a qual mostra no rosto indeléveis sinais de sevícias" (*O Homem*, n. 5, p. 3). O jornal reclamava a atenção do subdelegado da freguesia para o fato. Conforme notação de Clarisse Nunes Maia (2001, p. 21), eram frequentes "denúncias em jornais de pessoas indignadas pelos maus-tratos praticados por vizinhos sobre seus escravos e que clamavam pela ação da polícia. [...] Era, portanto, um campo delicado de disputa entre autoridades e povo, cada um querendo impor um modo de viver diferente à área urbana". A segunda denúncia não mais envolvia pessoas escravizadas, dava conta das agressões sofridas por duas crianças negras:

Ontem, 27 de janeiro, às dez horas da manhã, andando dois meninos (oito e dez anos de idade) vendendo mangas nesta povoação (Afogados), foram chamados por um soldado de polícia aqui destacado, e como não quisessem eles vender *fiado* as tais mangas, o valoroso soldado puxou o sabre, e deu-lhes alguns panaços!!! Esses meninos são filhos de uma pobre mulher que se chama Antonia, aqui residente. Sem dúvida esses meninos são pardos ou pretos. (*O Homem*, n. 5, p. 3)

O desrespeito dos zeladores da ordem pública aos "homens de cor" foi tema de outros causos. Acerca da prisão de um homem de cor parda que depois foi submetido a serviços forçados, o articulista refletia: "A Constituição diz que nenhum cidadão será obrigado a fazer ou deixar de fazer coisa alguma senão em virtude da lei? Quiséramos que nos indicassem a lei ou regulamento que autorize semelhante ato..." (*O Homem*, n. 10, p. 4). A crítica se estendia às instâncias competentes, que nenhuma atitude efetiva tinham tomado até aquele momento para que as arbitrariedades fossem interrompidas ou punidas, apesar da divulgação em vários outros jornais.

Para fazer frente a tantas tentativas de rebaixamento, a folha recuperava exemplos de sucesso. A "Galeria dos Homens de Cor Ilustres" aglutinou gente dos meios político, literário, musical, religioso e militar, uma maioria de personagens negros e três personalidades de origem indígena: Antonio Felipe Camarão, D. Diogo Pinheiro Camarão e D. Sebastião Pinheiro Camarão, vistos também como homens de cor, não parda ou preta, mas sim vermelha.

No primeiro número destacou-se o "afamado Jurisconsulto Brasileiro o Sr. Antonio Pereira Rebouças", nascido na Bahia nos últimos anos do século XVIII, mas que atuou na política nacional do século XIX em diferentes localidades, chegando a ocupar o posto de deputado. Rebouças, defensor do liberalismo constitucional, era lembrado por seu apreço à legalidade, das extravagâncias do governo ao contrabando de africanos, passando pela discussão dos direitos civis dos cidadãos, independentemente de cor ou origem. A projeção de seus filhos também era ressaltada. Sobre André Rebouças, comentavam ser: "tão considerado no Rio de Janeiro e tão estimando que, segundo somos informados, em uma ocasião solene, teve a honra de dançar com Sua Alteza Imperial, a Sr.ª D. Izabel! Lição sublime que partindo de tão alto, deveria calar no espírito de todos para acabar com infundados preconceitos" (*O Homem*, n. 1, p. 4).

O poeta José da Natividade Saldanha (1796-1830) foi lembrado nos dois números seguintes do jornal. De acordo com a narrativa construída por um articulista de *O Homem*, desde cedo, o personagem ilustre esmerou-se em sua própria formação, estudando música, latim, filosofia e teologia. Em Coimbra, formou-se bacharel em Direito, época em que já nutria apreço pela poesia. De volta a Pernambuco, quando a Independência do Brasil já havia sido proclamada, envolveu-se nos embates da Confederação do Equador na ala dos liberais republicanos. Tentativa frustrada, exilou-se, respectivamente, na França, na Inglaterra, nos Estados Unidos, no México e na Venezuela, onde faleceu. Seu comprometimento político constituiu um dos maiores incentivos à sua produção literária.

Com base em dados do *Diário de Santos*, *O Homem* também prestou homenagem ao maestro Elias Lobo, autor da ópera *A Noite de São João*, a primeira escrita e estreada no Brasil. Em 1876, o músico paulista vivia em Itu, "confundido agora entre os mais obscuros, ele que já teve os aplausos e homenagem da multidão". Não mais circulava nas altas rodas da Corte como quando apresentara a novidade à cena cultural da cidade. Até chegar ao reconhecimento, "sem

Imprensa negra no Brasil do século XIX

mestres que o dirigissem, inteiramente isolado, começou a exibir em sua pequena cidade natal [Itu] os primeiros frutos de sua inspiração". Em pouco tempo se transferiu para o Rio de Janeiro: "no Teatro Lírico do Rio de Janeiro, diante da família imperial e de milhares de expectadores, a *Noite de São João* alcançou o mais lisonjeiro sucesso". O triunfo alcançado com aquela peça cômica instigou em Elias Lobo o desafio de compor um "drama triste". Pouco depois, apresentaria a ópera *Louca* (*O Homem*, n. 6, p. 2).

A partir daí, seria vítima de conflitos próximos aos vividos por Pestana, o musicista do conto "Um homem célebre", de Machado de Assis, que sofreu por não obter sucesso com produção ao "sabor clássico", sisudo, tal qual os "imortais" da música erudita europeia. Também "de cabelo negro, longo e cacheado", Pestana contou com o apoio de "um padre, que o educara, que lhe ensinara latim e música, e que, segundo os ociosos, era o próprio pai" (Assis, 1998, p. 368-377). O padre que auxiliara Elias Lobo foi Diogo Antonio Feijó. Semelhanças à parte – ou mantidas –, frustradas suas ambições no Rio de Janeiro, Elias Lobo voltara a morar em Itu.

Breves biografias também foram usadas para salientar a atuação de homens de cor na expulsão holandesa. O primeiro a ser relembrado foi o Mestre de Campo Henriques Dias. Ao longo de três números, tratou-se dos títulos e condecorações por ele recebidos, mesmo com o tratamento pejorativo recebido por conta de origem racial e social: "Honra e glória de qualquer país que tivesse tido a fortuna de contá-lo no número de seus filhos. O herói pernambucano avantajou-se a tudo quanto de mais ilustre produziu a antiguidade. E se a raça de cor preta não tivesse dado ao Brasil nenhuns outros, bastaria ele só para ilustrá-la e enobrecê-la" (*O Homem*, n. 8, p. 1).

O mesmo procedimento foi adotado para falar sobre a família Camarão. O ponto de partida foi Antonio Felipe. De ascendência indígena, nascido em Pernambuco, serviu à Coroa portuguesa com heroísmo, juntamente com sua esposa, D. Clara, durante as lutas para a expulsão dos holandeses. Ao contrário do companheiro de batalha Henrique Dias, não ficou para ver a conquista final, pois morreu em 1648. D. Diogo Pinheiro Camarão e D. Sebastião Pinheiro Camarão são referendados no último número de *O Homem*, sendo, entretanto, associados ao "dano que se fez aos negros dos Palmares em um mocambo de mais de mil cabanas, a que se pôs fogo", ocorridos entre 1675 e 1680 (*O Homem*, n. 12, p. 2).

Em outra frente, textos literários – em prosa e em verso – foram dispostos nas seções "Folhetim" e "Variedades", a fim de intensificar a discussão sobre o "preconceito de cor", bem como estimular a moralização dos membros da sociedade. A novela "Beata – vítima dos preconceitos, história veneziana" foi o primeiro folhetim publicado, e narrava um relacionamento entre dois mancebos que se tornara inviável por conta da discriminação acerca da origem distinta de seus principais personagens (*O Homem*, n. 2-5). Houve apenas uma interrupção, com a divulgação do conto "Um marido como há poucos", de José de Sousa Lima (*O Homem*, n. 6).

Após aquela novela, publicou-se "A louca", conto de Ernesto Castro extraído do *Jornal das Famílias*, do Rio de Janeiro. A narrativa traz a infeliz história da heroína Ana das Dores, jovem "mulatinha", e Nicanor, rapaz branco "filho de um dos principais fazendeiros do lugar". Muito bonita e vir-

Imprensa negra no Brasil do século XIX

tuosa, a moça não se rendia aos galanteios de Nicanor e de tantos outros que a cortejavam, mas percebendo a transformação do espírito daquele e a verdade de seus sentimentos, aceitou-lhe a corte depois de algum tempo. O namoro rendeu uma proposta de casamento, que, no entanto, precisava da aceitação do pai do rapaz, uma vez que aquela união "só servia para envergonhar as suas cãs e o seu sangue, puro de mancha africana" (*O Homem*, n. 11, p. 4). Decidido a impedir o enlace, o pai ordenou a seus capatazes que invadissem a casa de Ana das Dores, raptassem o filho e o enviassem a São Paulo; e, caso tentasse fugir no meio do caminho, que o matassem. Foi justamente esse o fim da história. Na nota de apresentação da peça literária, ressalta-se que "o autor do conto não pertence à classe dos homens de cor", mas "animado do espírito reto, ele não duvida não somente render sincera homenagem à beleza fascinadora das moças de cor, senão também ainda estigmatizar o preconceito dos pais desnaturados que imitam o do infeliz Nicanor".

Entre os relatos históricos aproveitados, informações sobre a luta empreendida pelo Norte pela emancipação de negros escravizados no Sul dos Estados Unidos, na década de 1860, estavam relativamente frescas na memória coletiva e foram peças valiosas na argumentação contra a escravidão brasileira. Os exemplos vindos daquele país que alcançara considerável destaque no cenário internacional ao longo do século poderiam alimentar as discussões existentes e a geração de mudanças parecidas por aqui. Afinal, percebiam-se proximidades importantes:

Rebentou a tremenda insurreição dos estados do Sul da América do Norte a fim de conservar a medonha escravidão que o governo legal queria extinguir com zelo e discrição. Daqui assistimos àquele espantoso vendaval sem tugir nem mugir, tremendo de horror porque tínhamos em casa os mesmos elementos da discórdia, o mesmo foco de desordens e calamidades. [...] E também é verdade, digamo-la sem rebuço, que a União americana só depois da luta fatal entrou no andamento regular de uma nação ilustrada, dando ao mundo espantado o singular espetáculo de uma sociedade regida pelas leis eternas da liberdade e da igualdade, em que todas as raças, todas as castas e classes sem distinção nenhuma são iguais perante a lei, graduando-se somente os cidadãos pelo mérito e honestidade. O escravo tornou-se cidadão como qualquer outro, e a pátria honra-se com os seus serviços como se livres fossem de há muitos séculos. (*O Homem*, n. 2, p. 2)

Mais uma vez, o futuro revelaria caminhos mais tortuosos. Todavia, naquele momento, o que se tinha em mente eram as possibilidades abertas pelas emendas constitucionais aprovadas pelo Congresso logo após a guerra civil, que, além de abolir a escravidão, garantiam cidadania a todos e direito a voto aos homens negros. As ambiguidades do processo de emancipação dos negros norte-americanos, bem como o retrocesso representado pelas decisões da Suprema Corte ainda não pesavam na avaliação de *O Homem*. Das notícias que vinham de lá, algumas poderiam fortalecer a confiança naquela sociedade como um modelo a ser seguido. Mesmo com as dificuldades, os negros nos Estados Unidos dispunham de redes de solidariedade apuradas. Não se pode ignorar que, no fim da década de 1860, contavam com

Imprensa negra no Brasil do século XIX

pelo menos duas universidades negras, a Fisk University, em Nashville, e a Howard University, em Washington (Azevedo, 1995-1996). Logo, não é difícil imaginar o quanto informações dessa natureza poderiam ser úteis aos objetivos do jornal.

Outro emprego curioso de conteúdos históricos se deu na abertura da décima edição, também dedicada à defesa da abolição. Entendendo que a medida seria necessária ao bem geral da nação, o narrador toca a realidade local citando a escravidão dos hebreus no Egito antigo por cerca de quatrocentos anos. As previsões referentes aos escravizadores contemporâneos eram desfavoráveis, por personificarem um sistema ainda mais cruel:

> Diferente do que entre nós acontece, eram *os homens de cor clara que serviam aos de cor escura*, e a escravidão os tinha tanto degenerado que, restituídos à liberdade, queixaram-se muitas vezes do seu libertador, chorando pelas cebolas da terra onde viviam escravos.
>
> Felizmente não se dá a mesma coisa relativamente aos homens de cor escura que entre nós servem aos de cor clara, porquanto todos suspiram pela liberdade, e não há um só que não esteja pronto para fazer todos os sacrifícios a fim de alcançar este bem precioso, sem o qual nenhum outro tem verdadeiro valor. (*O Homem*, n. 10, p. 1)

Explicitamente, faz-se uma exaltação dos "homens de cor escura". A chama da liberdade jamais teria se apagado de suas mentes, enquanto os hebreus, "de cor clara", teriam se adaptado à organização social que os abarcava. Mas, assim como os egípcios pagaram com as sete pragas pela crueldade praticada contra os hebreus, o periódico profetizava que os escravistas modernos viveriam situações de amplo desgaste, pois:

> Para que este castigo tivesse lugar, diz a Escritura que a cada praga infligida aos egípcios, Deus endurecia-lhes o coração para não deixarem sair o povo a quem tinham escravizado. É isso o que ainda acontece aos senhores atuais. Conhecem a injustiça, a iniquidade cometida pelos seus maiores, mas dizem que havemos de fazer? Se os pomos em liberdade, ficamos reduzidos à miséria. (*O Homem*, n. 10, p. 1)

Para melhor visualização dos prováveis resultados dessa "teimosia" em terras brasileiras, recorda-se novamente o conflito entre os estados do Norte e do Sul dos Estados Unidos da América, em que, "depois de uma guerra civil sem exemplo na história, a iniquidade ficou abatida e a justiça triunfante".

Além da instrução, o periódico buscava incentivar o estreitamento dos laços entre as "várias famílias pertencentes à classe das pessoas de cor". Em certa ocasião, até noticiou uma confraternização entre pessoas desse grupo sociorracial, ocorrida durante dois dias seguidos na freguesia de Afogados, que recebe votos de longa vida:

> Desejamos de coração que entre as pessoas de classe cujos interesses nos propomos advogar, se vá desenvolvendo este espírito de sociabilidade, e que tais reuniões possam ter lugar aqui mesmo, na capital, pois que concorrerão para aproximá-las umas das outras, para apertar

Imprensa negra no Brasil do século XIX

os laços de amizade que devem ligá-las entre si, para instruí-las de seus direitos e também de seus deveres para com Deus, para com a pátria, para com a humanidade. (*O Homem*, n. 1, p. 4)

Devia ser mesmo amplo o campo de atuação do jornal na cidade do Recife e suas proximidades. As conexões entre essas experiências oitocentistas e entre essas e as expressões das lutas negras posteriores, todavia, sugerem novas pesquisas.

3
Democracia racial em nome do progresso da pátria

O AVANÇO DA MEMÓRIA RUMO AO PASSADO: A IMPRENSA NEGRA PAULISTA NO SÉCULO XIX

Entre as últimas décadas do século XIX e primeiras do XX, a cidade de São Paulo assistiu à chegada de muitos imigrantes de origem europeia, italianos na maioria, que vieram como promessa de progresso para a pátria brasileira. Dos sete pontos percentuais que representavam na população paulistana de 1872, passaram a somar 22% em 1890, segundo dados dos censos demográficos. Os projetos para os imigrantes iam a pleno vapor, promovendo o incremento dessa participação nos anos seguintes (Seyferth, 2005). Simultaneamente, novas leis não só alimentavam as práticas discriminatórias dirigidas aos pobres, em geral, e aos negros, em específico, a exemplo das posturas municipais (Santos, 1998), como também proibiam a entrada de africanos no Brasil. A julgar pelo conteúdo do Decreto n. 528 e da lei 97, de 1892, que tratavam da introdução de imigrantes, interessava manter fechadas por mais algum tempo as fronteiras nacionais para o ingresso de africanos, chamados "indígenas da África".

O afã da modernização nacional caminhava ao lado da modernização do racismo, que legitimara o escravismo e a "dispersão" dos descendentes de africanos no período pós-abolição. Sendo 37% dos habitantes do município em 1872, em menos de duas décadas a proporção de negros caiu para 16%. Assim, como reconhece Maria Cristina Wissenbach (1998, p. 15-16):

> A história dos negros em São Paulo não pode ser entendida sem a referência explícita ao preconceito racial que vincou a organização da vida escrava e fora desta época e suas fases posteriores. Em contraste à proporção relativamente reduzida dos negros no cômputo da população – ou exatamente por isso – enfrentaram, também, fortes intenções de branqueamento da cidade, que acompanhavam os intentos modernizadores a clamar pelos trabalhadores imigrantes. Um clima acentuadamente discriminatório e discricionário, uma política de vigilância constante incidiu sobre os escravos, para redobrar-se nos alforriados e negros livres.

Ocorre, porém, que o empenho para silenciar as vozes e apagar os interesses dessas pessoas produziu resultados que extrapolaram o sugerido pelos números. Tal como demonstrado por Teresinha Bernardo, com base em lembranças de velhas e velhos negros que viveram a cidade de São Paulo desde o fim do Oitocentos, esses algarismos dizem respeito a sujeitos de histórias de repressão e resistências.

Imprensa negra no Brasil do século XIX

Os relatos confirmam que os negros paulistanos não foram tão inertes quanto os autores dos projetos de diluição/extinção da presença negra gostariam ou pressupunham (Bernardo, 1998). Em vez disso, ultrapassaram a infância, tornaram-se adultos, acompanharam o crescimento urbano, constituíram famílias e outros espaços de sociabilidade, lutaram por trabalho e trabalharam. Enfim, encontraram e criaram modos de viver por ali, mesmo enfrentando sérias dificuldades.

Tais memórias remetem a outras formas de registro de experiências de indivíduos e grupos negros, construídas com base em suas próprias perspectivas. Não por acaso, a publicação de jornais é lembrada como espaço privilegiado para tanto. Com maior força nos 1920 (Ferrara, 1986), a manifestação das ideias e dos anseios da gente negra paulistana por meio da imprensa veio de antes, ainda do século XIX. Aí se inserem os jornais *A Pátria* e *O Progresso*, lançados respectivamente em 1889 e 1899, trazendo o mesmo subtítulo "órgão dos homens de cor". Editados quando as divisões entre livres, libertos e escravizados tinham deixado de existir formalmente, esses periódicos traziam, mediante um debate racial, opiniões de homens negros e brancos em meio a dois momentos especiais: 1) os anos que seguiram à abolição e os meses em que se viveu a iminente instauração do sistema republicano; e 2) os primeiros anos da República brasileira.

Ainda que o material encontrado se restrinja ao segundo número de *A Pátria*, de 2 de agosto de 1889, e ao exemplar de lançamento de *O Progresso*, de 24 de agosto de 1899, sua importância se mantém na medida em que trazem significados atribuídos por seus colaboradores àquelas medidas modernizadoras, tendo em vista os destinos da população negra no pós-abolição. Outra particularidade dos dois títulos é tentar uma reformulação da convencional estreia da imprensa negra no estado de São Paulo[16]. A maioria dos trabalhos que se debruçaram sobre o assunto reproduz a delimitação esboçada por Roger Bastide, no ensaio "A Imprensa Negra do Estado de São Paulo" (1973), e depois consolidada por Miriam Nicolau Ferrara, em *A imprensa negra paulista (1915-1963)*, tendo quase sempre *O Menelick*, de 1915, como o inaugurador da série. Entre as exceções, destaca-se a referência feita por Cleber da Silva Maciel (1997) a *O Baluarte – órgão oficial do "Centro Literário dos Homens de Cor"*, editado na cidade de Campinas em 1903, e ao quadro feito por Petrônio Domingues (2008) reconhecendo mais outros jornais do início do século XX. De todo modo, o mais interessante parece ser acompanhar as ideias defendidas em *A Pátria* e *O Progresso*, "órgãos dos homens de cor oitocentistas".

A *PÁTRIA* E A VIABILIDADE DO SONHO DE REPÚBLICA PARA UM ÓRGÃO DOS HOMENS DE COR

Cerca de quinze meses se passaram desde a promulgação da Lei n. 3.353, de 13 de maio de 1888, a que declarou extinta a escravidão no Brasil. Na cidade de São Paulo, *A Pátria* trazia a público seu segundo número na sexta-feira de

---

16. Referências sucintas somente ao jornal *A Pátria* foram encontradas em: Duarte (1972), Machado (1994), Gomes (2005b) e Domingues (2008).

Imprensa negra no Brasil do século XIX

2 de agosto de 1889. A campanha pela abolição era feito digno de destaque naquele impresso. Sua primeira página fora totalmente reservada à "homenagem aos grandes abolicionistas", com as imagens de Visconde do Rio Branco (*in memoriam*), Feliciano Bicudo e Fernando de Albuquerque, homens brancos. Como foi dito, o epíteto da folha era "órgão dos homens de cor". A presença daquelas figuras não negras poderia, então, ser interpretada como contradição? Aos olhos da redação do jornal, a resposta provavelmente seria negativa, ou melhor, nem se tratava de uma questão colocada. Entretanto, uma informação prestada ali mesmo pode responder à pergunta. Conforme alusão na última página do exemplar, a mesma seção no número inaugural fez deferências a Luiz Gama, José Bonifácio e Fernandes Coelho – uma "Galeria preciosa":

Aos nossos leitores, no primeiro número do nosso jornal, oferecemos uma trindade que inscreveram seus nomes no coração dos brasileiros, que contraíram para com ela uma dívida sagrada. Em nosso segundo número, apresentamos outra não menos distinta. Qual será o homem de cor que não se curve ouvindo falar nesses beneméritos da pátria? (*A Pátria*, n. 2, p. 2)

Ou seja, a reverência era uma forma de sinalizar as correntes políticas com as quais estava conectada a argumentação do periódico. Entre o fechamento das batalhas abolicionistas e a eminente transição para o regime republicano, *A Pátria* acabou por absorver essas duas temáticas em sua argumentação, salvaguardadas suas peculiaridades. O periódico pretendia não se ocupar com as disputas entre os partidos liberais e conservadores – chamados "partidos monárquicos". Quanto a isso, Ignácio Araújo Lima é bastante taxativo ao afirmar no primeiro artigo da edição: "Para nós homens de cor, em nada influiu a queda dos conservadores, assim como a ascensão dos liberais ao poder".

A política conservadora era, assim, diretamente associada à perseguição e à opressão contra a população negra. Quanto a personalidades como o Barão de Cotegipe – "um dos maiores algozes da raça de cor, tanto assim que contra a sua vontade é que o gabinete João Alfredo conseguiu a realização da áurea lei de 13 de maio" –, o tratamento era o completo descrédito perante os olhos de *A Pátria*. O partido liberal não recebia crítica menos feroz: "Depois de sete anos no poder sem importar-se com a sorte dos míseros escravizados, tendo sido uma política de desordem e desmandos. [...] Celebrizando-se ainda mais na oposição que fizeram ao Gabinete Dantas quando, pretendia fazer uma lei que vinha suavizar a sorte dos descendentes da raça africana".

Entre 1878 e 1885, o Gabinete Ministerial do Império esteve nas mãos dos liberais. A omissão referida por *A Pátria* dizia respeito ao fato de que não tomaram nenhuma providência efetiva enquanto estiveram no poder. Quando os conservadores assumiram, promoveram alguns arremates, mas postergaram tanto que não mereceram o respeito de muitos abolicionistas e alguns republicanos – mas isso não era ressaltado pelo periódico. Em 1884, o senador liberal Manoel Pinto de Souza Dantas, nomeado chefe de Gabinete pelo imperador, ficou com a responsabilidade de buscar uma "solução progressiva" para o problema da escravidão. O projeto apresentando, uma "oportuna transação entre os princípios escravocratas e abolicionistas", apesar

Imprensa negra no Brasil do século XIX

da tentativa contemporizadora, não foi suficiente para aquietar os ânimos escravistas. A proposta motivou a reação não apenas dos conservadores, como também dos próprios liberais – e tantos outros –, em sua resistência à abolição. A confusão desencadeou a dissolução da Assembleia e a convocação de novas eleições. Por fim, o resultado resguardou os interesses escravocratas e impulsionou a queda do Gabinete Dantas. Com o retorno do senador liberal José Antonio Saraiva à presidência do gabinete, pontos fundamentais do Projeto Dantas foram reformulados e os embates continuaram. A aprovação, entretanto, ocorreu somente no mandato do conservador Barão de Cotegipe, ficando o documento conhecido como a Lei Saraiva-Cotegipe, ou dos Sexagenários, de 1885 (Moraes, 1986).

Quando *A Pátria* foi lançado, em 1889, os liberais tinham voltado ao Gabinete, na figura de Afonso Celso de Assis Figueiredo, o Visconde de Ouro Preto, mas a abolição ocorrera sob os cuidados do partido conservador. De acordo com a defesa feita por Ignacio de Araújo Lima, o fim do escravismo teria sido "obra imposta pelo terror que inspirava ao trono, e ao partido conservador, o movimento abolicionista. O governo, sabendo que a abolição seria forçosamente feita, rendeu-se à vontade popular, receando a revolução que com certeza traria a queda da monarquia no Brasil". A Lei Áurea era entendida como uma tábua de salvação que a princesa Isabel, naquela ocasião no posto de regente, teria utilizado para salvar os alicerces do trono (*A Pátria*, n. 2, p. 2).

A escravidão esteve na boca de muitos grupos – liberais, conservadores, monarquistas, republicanos e por aí vai –, mas a partir do momento em que milhares de mulheres e homens negros tiveram de ser oficialmente reconhecidos como cidadãos brasileiros, outras questões de fundo se evidenciaram. Além de serem tema das conversas, os negros, a princípio, poderiam ter chances maiores de opinar sobre os rumos do país, caso se concretizasse o universo hipotético que a abolição delineava e uma parcela mais ampla da população alcançasse o debate público. Apostando nessa possibilidade, pelo que se percebe do desejo manifesto no periódico, a superação dos limites impostos à "raça de cor" teria de estar fundamentada em demonstrações incontestáveis e nas propostas que apontassem a concretização das mudanças mais profundas. A adesão ao republicanismo parecia uma saída bastante promissora: "Teremos sempre por divisa: Liberdade, Igualdade, Fraternidade. Abraçando por essa forma as doutrinas republicanas, porque só nela encontraremos a reabilitação de nossa raça estigmatizada pela escravidão" (*A Pátria,* n. 2, p. 2). Resolvida a demanda abolicionista, a República seria o passo subsequente.

Nos últimos tempos, a popularidade da monarquia constitucional sofria de altos e baixos. Na compreensão do periódico, no que se referia aos interesses da população negra, haveria mais razões para depreciações do que para elogios, posto que: "em remuneração aos serviços que julga-nos ter *prestado,* exigiu a simpatia do povo e armando um laço ardiloso procuravam impossibilitar a raça de cor, receando-se que ela, compreendendo que nada deve à coroa, lançasse suas vistas para o partido republicano". O trecho ilustra o incômodo diante da sugestão de os negros terem de devotar reverências ao Império ou mesmo da possibilidade de serem colocados à mercê das pretensões monárquicas – como se fossem devedores de favores. Se existia alguma dívida dos negros para com algo ou alguém, essa não seria aos

Imprensa negra no Brasil do século XIX

"partidos monárquicos", mas a todos que numa ação suprapartidária empreenderam esforços para a libertação dos ainda escravizados. Nesse grupo estariam, entre outros, Luiz Gama; o Barão do Rio Branco; e os senadores Dantas e José Bonifácio, o moço.

A galeria de grandes abolicionistas, todavia, permanecia carente de outras personalidades de reconhecida importância nas lutas pelo fim do escravismo, incluindo aí alguns "homens de cor" que tiveram grande destaque político na Corte. Ia-se para o terceiro número e nada de aplausos a André Rebouças e José do Patrocínio, por exemplo. No dia em que todos foram declarados livres pelo poder imperial, Patrocínio fora "saldado pela multidão, agarrado, beijado e abraçado por homens e mulheres eufóricos com o fim da escravidão", mas também, curiosamente, ouviu de seu amigo João Marques este comentário um tanto quanto tosco: "Que belo dia para morreres, Patrocínio!". Suas escolhas lhe renderam dissabores não imaginados naquele dia. Em *A Pátria*, como se verá, existiam razões republicanas para explicar aquela ausência.

Fanático pela abolição, como o descreveu Evaristo de Moraes (1986, p. 284), "arcava com a dura imputação de ingrato, versátil nas afeições e desafeições". Para aproveitar os meios disponíveis para atingir a meta abolicionista, Patrocínio passou a elogiar a figura da princesa logo após a queda do Barão de Cotegipe da presidência ministerial, em março de 1888, e estreitar laços com o monarquismo. Sua atitude foi tomada como traição aos espíritos republicanos abolicionistas e nova afronta a outros adversários escravistas. Ou seja, não foi por descuido que a figura de Patrocínio não apareceu na galeria dos maiores abolicionistas, o que não significou, porém, que ele foi ignorado em *A Pátria*.

Mesmo sem receber o menor gesto de reconhecimento por seu empenho, coube a Patrocínio figurar como tema de zombaria na crônica "A tempestade", de 25 de maio de 1889. O enredo correspondia a um encontro onírico entre Ara, o narrador da história, e Deus, assessorado por um anjo. O texto principia com a apresentação do espaço onde se daria a trama, uma atmosfera dramática. As imagens aludem à ocorrência de uma tempestade próxima. "Os horizontes da pátria, outrora límpidos e belos se escurecem por uma nuvem negra" (*A Pátria*, n. 2, p. 2). Em meio a esse ambiente, Ara é surpreendido pela visão de um carro de fogo puxado por dois velozes corcéis vindo do céu, trazendo um homem de longas barbas brancas – o próprio Deus –, acompanhado de muitos anjos. O narrador-personagem põe-se em reverência à figura divina, que manda a um de seus mensageiros lhe dizer: "Ara, Deus ouviu-te a prece e reconhece em ti um dileto filho. Ele perdoa-te". Ara, então, indaga sobre o porquê de toda "aquela revolução", e recebe a resposta que constitui a reviravolta da narrativa:

> – Ara, não é por ti. Deus criou o mundo, tudo o que vede é dele. Adão e Eva tiveram dois filhos, Caim e Abel. Caim matou a Abel, seu sangue gritou a Deus onipotente: – Vingança! Vingança!
> Deus vingou-o. Caim vive errante pelo mundo, amaldiçoando sua vida.
> Deus julgava que nunca mais houvesse Caim. Mas ainda há neste país um Caim que Deus protegeu por muito tempo, mas o homem julga-se superior ao Onipotente e

Imprensa negra no Brasil do século XIX

ofende-o, insulta-o. Deus que o patrocinou por tanto tempo, ele não quer viver na graça. O sangue do novo Abel clama vingança por haver ELE assassinado com a ignorância, Deus vai vingá-lo.

Ara! Vai depressa! Vai pelo Brasil e prega o bem, dizei ao povo que Deus exterminará com os PATROCÍNIOS escandalosos e demolidores e vendilhões do templo de Deus. Deus vai castigar ao novo Caim. És de Deus abençoado. E a tempestade desencadeou...

Ora bolas! Foi sonho! Levantei com o patrocínio do José.

Ao sabor das sátiras da época, a alusão a José do Patrocínio aparecia nessa crônica numa associação à figura de Caim, o fratricida bíblico. De acordo com o sugerido pela narrativa, embora vivesse sob a proteção divina, Patrocínio quis sobrepor-se à sua grandeza e, certamente, seria punido – o aviso fora dado pelo próprio Deus. Ara, porém, não evidenciava quem era o Abel daquela situação, o que deixava o abolicionista em situação mais constrangedora. O narrador estaria falando de todos os negros, dos republicanos negros, dos republicanos somente, ou de toda a humanidade? Recursos literários à parte, o texto trazia um conflito secular, nada sagrado. Patrocínio era *persona non grata* entre os republicanos, por isso cabia-lhe o escárnio.

Não houve em *A Pátria* disposição ou pretexto para proteger a figura de José do Patrocínio, como ocorrera em jornais da cidade de São Paulo em 1880. Naquele ano – conta Elciene Azevedo –, ao discursar numa conferência abolicionista na capital paulista, Patrocínio "qualificou os senhores de escravos de 'piores do que compradores de furto, piores do que os portadores de moeda falsa'" (Azevedo, 1999,

p. 179). Por conta disso, mais do que a indignação de escravistas, recebeu a defesa do destacado abolicionista republicano Luiz Gama, que foi à *Gazeta do Povo* reprimir as agressões àquele cidadão negro da Corte, feitas por um escravocrata nas páginas da *Província de São Paulo*:

> Em nós até a cor é um defeito, um vício imperdoável de origem, o estigma de um crime; e vão ao ponto de esquecer que esta cor é a origem da riqueza de milhares de salteadores, que nos insultam; que esta cor convencional da escravidão, como supõem os especuladores, à semelhança da terra, ao través da escura superfície, encerra vulcões, onde arde o fogo sagrado da liberdade.
> Nós, que falando, escrevendo, e esmolando, de porta em porta, somos acolhidos com impiedoso sorriso pelos bondosos estrangeiros, que convivem neste país, sem temor da negridão da nossa pele, que nos franqueiam a sua bolsa, e nos prodigalizam o seu óbolo, para a remissão dos *elefantes negros da lavoura*, temos, por certo, sobejo motivo para enojarmo-nos dessa parolagem sáfia, indigna da imprensa de um país culto. (Gama *apud* Azevedo, 1999, p. 180-181)

A denúncia de discriminação racial fundamentava a manifestação de Luiz Gama, que poderia ganhar forças à medida que os negros escravizados ganhassem total liberdade. No entanto, o período de 1880 a 1889 assistiu, entre outros acontecimentos, à morte daquele ilustre abolicionista, ao crescimento do republicanismo e ao enfraquecimento da fala em defesa da emancipação, uma vez que, a partir de 1888, formalmente, o problema central estava resolvido.Os aboli-

Imprensa negra no Brasil do século XIX

cionistas, não os ex-escravizados, conquistaram a cena na opinião pública. Nas disputas políticas do pós-abolição, desapareceram as bases que levavam alguns republicanos abolicionistas a tolerar José do Patrocínio. Nesse ponto, *A Pátria* interrompeu o livre fluxo do que o pronunciamento de Luiz Gama vislumbrava. Aos olhos do impresso, naquele momento, os negros não republicanos perigavam ser tomados como dissidentes da causa de libertação de seu povo, assim como o foram os simpatizantes do partido moderado aos olhos dos "homens de cor" exaltados do período regencial.

Em outras dimensões, entretanto, a sintonia se manteve. Permanecera o interesse pelas ações empreendidas por grupos negros de outras localidades. À medida que o vínculo com José do Patrocínio se enfraquecia, outras aproximações com o Rio de Janeiro assumiam relevo. Como informação dada em primeira mão aos leitores da Corte, a notícia da recente formação do *Club Republicano dos Homens Cor* tinha sido reproduzida numa folha paulistana. A satisfação de *A Pátria* reservou considerável espaço para demonstrar sua afinidade com a proposta de seus pares fluminenses. O artigo também de Araújo Lima era iniciado com os versos: "Hosana, hosana, entoemos a esse dia / Em que essa nova aqui nos anuncia / Que unidos pela ideia, aí estais, / Prontos para combater a tirania / E aos demais que a nossa raça deprecia / Vinguemos nossos pais" (*A Pátria*, n. 2, p. 2). Após a epígrafe, o redator, em nome de "Nós, homens de cor daqui da capital de São Paulo", sustentaria a proximidade com os republicanos negros fluminenses para reprovar a criação e a atuação da Guarda Negra. Primeiramente estabelecida na Corte, fora também instituída em terras paulistas. Naquela

115

atmosfera de preocupações republicanas, estava mais uma vez a figura de José do Patrocínio.

Ao tecer comentários sobre a Guarda Negra e o envolvimento de Patrocínio, Clóvis Moura (1992, p. 68) mostrou como monarquistas usaram os libertos e outros negros contra os republicanos. Todavia, os questionamentos feitos por Flávio Gomes (2005b, p. 25) acerca da participação dos negros nas disputas políticas do pós-abolição apontam para um cenário mais complexo, em que esses sujeitos viveram e se posicionaram acerca das questões do seu tempo, sendo a mobilização em torno das tensões raciais dificilmente ignorada:

> As ideias em torno da Guarda Negra (ou pelo menos sua versão institucionalizada e impressa no noticiário) articulavam percepções diversas de libertos nas cidades e no interior a respeito de raça, cidadania e controle sobre seu trabalho e suas vidas, bem como disputas simbólicas de setores abolicionistas, monarquistas e republicanos. A Guarda Negra e a mobilização racial tinham vários sentidos e significados para os diferentes personagens e agentes. E aí estava a principal disputa. A vencedora foi a memória histórica das ideias de "manipulação", "dádivas" e "gratidão" – sempre ressaltadas na época e também pela historiografia posterior –, e não aquelas do emaranhado de lutas, projetos e expectativas.

O *Club Republicano dos Homens Cor*, como noticiado em *A Pátria*, correspondia a outra possibilidade da presença negra na sociedade pós-abolição, não circunscrita à influência monarquista. Insatisfeitos com o cenário que se firmava, os

Imprensa negra no Brasil do século XIX

envolvidos com a publicação do jornal questionavam a cidadania plena de toda a população negra caso a monarquia permanecesse no poder: "Chamam-nos paulistas porque tivemos nosso berço na cidade de São Paulo, legendária e heroica pelos brilhantes feitos de seus filhos, porém nós que somente podemos dizer: Aqui nesta parte da América do Sul, tivemos nosso berço, mas onde está nossa Pátria?" (*A Pátria*, n. 2, p. 2).

Séculos transcorridos desde o início da colonização portuguesa em solo americano – "onde se escreveu o martirológio dos infelizes filhos d'África escravizados no Brasil, [...] onde [os escravocratas] esses malvados seres nutriam a terra com os corpos de nossos avós e pais e regavam-na com o seu sangue e com as suas lágrimas!" –, e as possibilidades de independência efetiva dos negros pouco tinham se alterado. Isso era motivo suficiente para que se duvidasse das promessas de uma incorporação natural e democrática naquele momento e almejassem uma integração distinta da facultada pela Guarda Negra. Tratava-se de outra justificativa para a simpatia republicana do periódico negro.

Diante dos desafios a enfrentar com o fim do escravismo, nos dizeres de *A Pátria*, o primeiro impulso teria sido a busca de "punição para tantos crimes, porém é tarde, muito tarde". O presente reservava outra missão mais espinhosa, porém "mais nobre e mais honrosa": garantir que os recém-libertos pudessem, de fato, ter o Brasil como pátria, e desfrutar a cidadania prometida, uma vez que: "Ontem deram liberdade ao escravizado, mas esqueceram-se de que o liberto, que se transformara em cidadão, tem direito e precisão de ter uma pátria. Sim, quem mais do que eles têm direito sobre o solo em que pisam?" (*A Pátria*, n. 2, p. 2).

O quadro levava os livres da escravidão sem o expediente da Lei Áurea a ter responsabilidade pela conquista da igualdade efetiva aos recém-libertos, bem como a eles próprios. As razões para isso ficam evidenciadas neste trecho:

E nós que sentimos correr em nossas veias o sangue Africano, nós que nos orgulhamos em pertencer a essa raça, que foi a primeira que penetrando no seio virgem da terra, de lá voltou com as mãos cheias d'ouro e pedras preciosas, frutos esses por eles colhidos, que se transformou em mantos, onde se esconderam tantos crimes e que ainda hoje existem nos cofres dos potentados; ainda mais os três séculos de trabalho dessa raça expatriada e escravizada encheu também de ouro e de pedras preciosas o erários dos reis e dos imperadores. É o tempo que corre e exige o nosso congraçamento para juntos combatermos as trevas nas quais imersos estão ainda muitos dos libertos de ontem, educá-los e encaminhá-los na ideia grandiosa Pátria e República. [...] Nossos avós e nossos pais sucumbiram entre sacrifícios e dores cruciantes, não no terreno da luta pela aspiração ou ideia, mas sob os golpes do azorrague vibrados por braços possantes, nos amplos quadriláteros das fazendas. (*A Pátria*, n. 2, p. 2)

As marcas de uma identidade fundada em ancestrais africanos e no pertencimento à "raça negra" sustentam a plataforma política expressa por Ignacio de Araujo Lima. A garantia de sobrevivência digna não precisava ignorar o passado ou a ancestralidade. Ainda que os negros tivessem uma variedade de posições sociais bem mais ampla do que

Imprensa negra no Brasil do século XIX

a indicada pelos termos livre, liberto ou escravizado, o reconhecimento do vínculo que aproximava suas diversas experiências promovia o compromisso mútuo para a conquista de uma democracia real, que pudesse ser efetivamente traduzida em democracia racial.

Autenticava-se, assim, legitimidade à *Pátria*, em São Paulo, e ao Club Republicano dos Homens Cor, no Rio de Janeiro. Essa identidade racial se conectava a outro vínculo político, de natureza republicana. Ambos vinham à tona nos embates políticos do momento. Essas proximidades uniram as duas experiências de províncias diferentes.

A República tornava possível, além do mais, suprimir as lacunas deixadas pela independência incompleta, como acusa o periódico na reprodução do artigo "Emancipação da Pátria", do advogado abolicionista João China, de 11 de junho daquele ano[17]. As palavras eram categóricas:

"A Nação Brasileira nunca ficou independente! Aquele arranjo do pai e do filho, combinado com alguns ministros e que deu resultado à proclamação da independência no dia 7 de setembro de 1822, não foi a emancipação do Brasil". Entre as decisões tomadas para o estabelecimento da jovem Nação, estava a permanência da escravidão de africanos e seus descendentes, o que era visto como prova da autonomia limitada e de desapreço pela humanidade do "povo preto". "Como compreender-se um Estado independente e livre, quando a superioridade numérica dos seus habitantes continuava escravizada?" (*A Pátria*, n. 2, p. 3).

....

17. Para informações sobre a atuação desse advogado abolicionista, consultar Papali (2003).

A alteração da forma de governo tornava-se, portanto, uma oportunidade ímpar para o crescimento e a democracia brasileira.

Valorizando símbolos e imagens como as dos "heróis inconfidentes mineiros, capitaneados pelo imortal Tiradentes", apostava-se na proximidade da emancipação definitiva do país, por meio da República. Como nas lutas abolicionistas, que em seus últimos momentos receberam a adesão dos "grandes, graduados, os da melhor posição da sociedade", além da atuação popular, movimentação semelhante parecia acontecer com a causa republicana:

> Correram os tempos e como a causa da humanidade foi adquirindo adeptos, o povo branco começou a *exigir* a reivindicação da liberdade do povo preto, e este, ao seu turno, foi compreendendo o seu direito e por si mesmo procurou restaurar-se na sociedade e, em consequência, veio a lei de 13 de maio de 1888, que deve denominar-se *Lei do Povo*.
>
> Mas o Brasil está livre mesmo?
>
> Cremos que não!...
>
> A nação tem ainda os piores escravos: os que (sem necessidade absoluta) sacrificam suas ideias, barateiam suas posições políticas e sociais por amor a um título ou emprego que raras vezes são merecidos e dão-lhe importância!
>
> Os homens nessas condições são mais escravos que os antigos escravizados de cor preta. (*A Pátria*, n. 2, p. 3)

Essa sucessão linear e cíclica dos fatos na narrativa, além de evidenciar as limitações das expectativas anteriores – da independência e da abolição –, contribuía para fortalecer o projeto recente. Assim ocorria em outras partes do impresso: a elaboração e a seleção dos textos guiavam-se simultaneamente pelas contradições e as expectativas do momento. Mesmo que o objetivo geral fosse a garantia de linearidade ao que fosse proferido, o jornal abria para uma multiplicidade de cruzamentos ricos em detalhes.

Fundado nesse mesmo princípio, este número de *A Pátria* trouxe na última página um artigo assinado por Arthur Carlos comentando o que teria ocorrido na cidade de São Paulo na comemoração do primeiro aniversário da Lei Áurea. O descontentamento expresso no "13 de maio em São Paulo" indica um clima de intolerância do poder público perante qualquer possibilidade de agitação popular. Em curto espaço de tempo, as autoridades buscavam assegurar uma atmosfera de normalidade, na qual os embates públicos, por menos ameaças que trouxessem, fossem colocados no esquecimento:

O modo frio com o qual foi acolhida aquela data em São Paulo demonstra evidentemente a falta de patriotismo que existe entre nós! Parece incrível? Que numa província como a nossa, que tem sido sempre a primeira nas demonstrações de amor pela pátria, depois de um ano decorrido do aniversário da lei que libertou o Brasil da mais degradante nódoa, não procurasse dar uma prova mais viva, mais entusiasta pela realização desse grande fato, no qual foi a maior obreira.

Os dias 12 e 13 de maio do corrente ano em nada diferiram dos comuns, senão pelo zelo especial que teve a nossa polícia em mandar espancar e pisar a patas de animais os transeuntes que saíram de suas casas em busca de festas e que, completamente desenganados, tiveram de recolher-se a seus lares porque a prudência assim os aconselhava. (*A Pátria,* n. 2, p. 4)

Os poucos eventos percebidos corresponderiam, segundo o articulista, a "brincadeira particular que não traduzia o sentimento dum povo", limitando-se a iluminações nas ruas e no largo da liberdade e certo número de batuques. Distante desse restrito circuito de rua, foi publicado na ocasião um "jornal *comemorativo*", muito mais voltado para o ataque à imagem dos republicanos do que para os interesses mais imediatos dos recém-libertos.

Indiscutivelmente, a empreitada assumida por esse impresso encontrou uma São Paulo de cujo solo histórico se erguiam grandes expectativas, de que as aspirações dos cidadãos negros também se nutriam. Os envolvidos com a redação do jornal vislumbravam no tempo da República a época em que, além de suplantados os limites da independência restrita, as esperanças lançadas pela abolição poderiam materializar-se para qualquer "Filho da Plebe", como decantava Honório de Santarém: "A minha fronte arrogante / Hei de erguer! e por que não? / – Se como a águia valente / Sou livre – ou como a vertente / D'água virgem do sertão?" (*A Pátria,* n. 2, p. 3).

A força das palavras e das ideias parecia dispensar a apresentação detalhada de cada redator. Suas identidades poderiam ser facilmente descobertas pelo público da época. Contudo, isso acabou prejudicando a identificação desses personagens. De todo modo, *A Pátria* apresentava-se como um instrumento "dos homens de cor" e seus argumentos eram a eles dirigidos. Deveria haver espaços de sociabilidade que permitissem a circulação dessas ideias, como suge-

Imprensa negra no Brasil do século XIX

rem os locais de venda do jornal: a charutaria Aymoré e o chalé do Profeta, graças a um "especial obséquio" dos donos dos estabelecimentos. Da mesma forma, as correspondências, as assinaturas e tudo o que tivesse relação com o periódico deveriam ser dirigidas àquele estabelecimento, localizado no Largo da Sé, n. 2D. Em contrapartida, a folha veiculava um anúncio da charutaria.

Das conclusões a que se pode chegar a partir da leitura deste jornal, uma é inquestionável: os constrangimentos por que os negros passavam na cidade e o processo de diminuição de sua representatividade entre a população paulistana não impediram que vigorassem articulações capazes de sustentar a opinião dessas pessoas. Em *A Pátria,* se não falaram por todos os "homens de cor", ao menos conseguiram expressar os anseios de uma parcela. Outros posicionamentos existiam ou viriam a ser, como será possível visualizar a seguir.

DESILUSÕES E DESAFIOS NA ESCRITA DE *O PROGRESSO*

Transcorridos dez anos do lançamento de *A Pátria*, jornal negro que em nada disfarçava sua simpatia pelo republicanismo, a cidade de São Paulo receberia no ano de 1899, tempos da República, outro "órgão dos homens de cor" chamado *O Progresso*. Diferentemente do primeiro, este anunciava ter o único fim de "prestar auxílio desinteressado à raça a que pertencemos"[18]. O curso do tempo trazia dese-

18. A despeito de suas diferenças, ao que parece, essas duas empreitadas da imprensa negra em São Paulo mantiveram certa relação. Essa possibilidade é sugerida pela publicação, em O *Progresso*, de uma nota

jos de mudanças mais intensas, uma vez que, se problemas antigos não haviam se resolvido, outros novos de grande força atingiam em cheio os negros paulistanos. Tais expectativas eram revertidas em expressões de desgosto, frustração e indignação, tais como esta:

> Passou-se o período mais angustioso para os homens pretos. Surgiu a aurora de 13 de maio, data de imorredoura glória de muitos pretos que foram os arautos da abolição como Luiz Gama, José do Patrocínio, Quintino de Lacerda, Rebouças e tantos outros.
>
> Proclamou-se a República, o governo da igualdade, da fraternidade e [...] liberdades. No movimento republicano, contavam-se muitos pretos e mulatos (que vem a dar no mesmo) que prestavam e prestam serviços inolvidáveis ao novo regime.
>
> Esperávamos nós, os negros, que, finalmente, ia desaparecer para sempre de nossa pátria o estúpido preconceito e que os brancos, empunhando a bandeira da igualdade e fraternidade, entrassem em franco convívio com os pretos, excluindo apenas os de mau comportamento, o que seria justíssimo.
>
> Qual não foi, porém a nossa decepção ao vermos que o idiota preconceito em vez de diminuir cresce; que os fi-

....

de falecimento de Arthur Carlos, em 11 de agosto. O ex-redator de *A Pátria* era saudado como um prezado amigo e companheiro de lutas. *O Progresso* informava sua intenção de publicar uma pequena biografia do companheiro, o que não havia sido possível naquele número em virtude do atraso com que o material chegou à redação, mas prometia apresentá-la na edição seguinte.

Imprensa negra no Brasil do século XIX

lhos dos pr etos, que antigamente eram recebidos nas escolas públicas, são hoje recusados nos grupos escolares; e que os soldados pretos, que nos campos de batalha têm dado provas de heroísmo, são postos oficialmente abaixo do nível de seus camaradas; que para os salões e reuniões de certa importância, muito de propósito não é convidado um só negro, por maiores que sejam seus merecimentos; que os poderes públicos, em vez de curar do adiantamento dos pretos, atiram-nos à margem, como coisa imprestável? (*O Progresso*, n. 1, p. 3)

O trecho evidencia que, além da abolição, a instauração da República se configurava como ilusão. José do Patrocínio, rejeitado naquele outro impresso, era ali redimido e ganhava a cena ao lado de seus pares negros[19]. Ao mesmo tempo, ampliava-se o sentimento de que a situação dos negros no Brasil piorava a olhos vistos. *O Progresso* trazia consigo não somente outra perspectiva, como também era produto de diferentes autores. Em sua estreia a 24 de agosto de 1899, Theophilo Dias de Castro ocupava a função de redator-chefe. A José Cupertino, redator secretário, coube a responsabilidade pelo recebimento das correspondências, que deveriam ser emitidas para o escritório do jornal na Rua das

....

19. *O Progresso* concederia a José do Patrocínio outro espaço além dessa breve referência. A seção "Noticiário" garante-lhe mais uma nota de destaque: "Esteve, há dias, nesta capital, o distinto jornalista José do Patrocínio, sendo alvo de uma entusiástica manifestação promovida pelos moços acadêmicos. À porta da Confeitaria Fasoli, foi este ilustrado abolicionista saudado pelo nosso amigo Antonio Eusébio d'Assumpção" (*O Progresso*, n. 1, p. 4).

Ana Flávia Magalhães Pinto

Flores n. 45. A impressão, por sua vez, era feita na Tipografia Soler, Rua do Riachuelo n. 34. Ambos os endereços estavam localizados na região sul da Sé.

O recurso ao passado como alavanca para o futuro, habitualmente, recolheria o que mais interessante parecesse às estratégias do momento. Assim, a primeira página chamava bastante atenção ao trazer uma xilogravura do busto de Luiz Gama, acompanhada por um brasão no qual duas mãos se cumprimentavam em atenção ao 13 de maio de 1888. Além disso, o lançamento do jornal casara-se com o aniversário de morte daquele defensor da liberdade. Aproveitou-se a oportunidade para a exposição de uma curta biografia, inserida no artigo de fundo assinado por Teodias, codinome do editor.

Curiosamente, o texto não mencionava o lado republicano de Luiz Gama, mas ressaltava o desejo de, por meio do exemplo deixado aos negros, incitar em seu público a fibra e a astúcia do homem que se livrou da escravização indevida e se tornou um respeitado advogado na cidade de São Paulo ao defender causas de indivíduos escravizados:

Pretos! É preciso que se pague este tributo ao morto ilustre: é preciso que seu nome brilhe dentro de nossas almas, tanto quanto a estrela mais adorada do Firmamento; é preciso que a aurora do século XX, ao saudar este pedaço do continente americano, onde se acham sepultados os restos de nossos maiores, bem haja o nosso sometimento [respeito/abnegação] nessa ânsia de progredir; que dele se desprenda o retalho de torpezas que se apega ao manto velho do século XIX, sendo atirado à noite do esquecimento; que uma geração capaz, ativa e

Imprensa negra no Brasil do século XIX

feliz surja triunfante na conquista do Bem, na realização dos nobres ideais.

E para isso é necessário que não demoremos em construir o nosso núcleo social, no qual fiquem concentradas todas as nossas forças, derivando dele as boas intenções que temos em prestar o nosso auxílio desinteressado à raça a que pertencemos. (*O Progresso*, n.1, p. 1)

Além de estímulo às individualidades, a figura de Gama fortalecia os laços coletivos que uniam os negros daquele contexto. Em *O Progresso*, a crença gratuita nas ideias republicanas não encontrava sustentação. Ensaiava-se, assim, uma saída estruturada com base em um coletivismo negro. Décadas mais tarde, a cidade de São Paulo contaria com uma quantidade crescente de clubes, associações e outros jornais voltados ao benefício de mulheres e homens negros. Mas a conexão entre esses dois momentos ainda merece investigação. Por ora, o vínculo se dava com tempos anteriores, com episódios da vida de Luiz Gama publicados no terceiro volume da *Revista do Instituto Histórico e Geográfico de São Paulo*, fonte que legitimava o elogio feito.

Antes de iniciar o relato, o redator incentivava os leitores para que entendessem tudo aquilo não "como um escrito de pouca importância, pois muito [falaria] em nossa alma". O texto, além do destaque à atuação jurídica de Gama – depois que se livrou da escravização indevida –, engrandecia a origem materna e criticava a figura paterna, um fidalgo português falido que o vendera como escravo ainda criança, resultando no cativeiro vivido no Rio de Janeiro e em São Paulo. Apoiado no que Luiz Gama havia narrado nas *Trovas Burlescas de Getulino*, reconhecia em Luiza Mahin a genitora do ídolo. Ao descrevê-la, atribuiu-lhe "o profundo sentimento de insurreição e liberdade" daquele homem:

> [Luiza] era muito trabalhadeira e entregava-se ao comércio da quitanda, sendo na cidade em que residia muito popular e conhecida. Era pagã e recusava-se a converter-se ao cristianismo. Mais de uma vez fora presa por suspeita de envolver-se em planos de insurreição de escravos, que não tiveram efeito. Em 1837, depois da revolução do dr. Sabino, mais conhecida pelo nome de *Sabinada*, veio ao Rio de Janeiro e nunca mais voltou. (*O Progresso*, n. 1, p. 1)

Tal como defendido por *O Progresso*, Luiz Gama, a contar do seu possível último encontro com sua mãe[20] e fruto da atitude de seu pai, teve acesa dentro si a chama da liberdade, empenho definitivamente interrompido pela morte em agosto de 1882. Como aponta Elciene Azevedo (1999, p. 169-170) no entender de Gama, a liberdade e a soberania popular constituíam as causas maiores a se buscar A simples exaltação à pátria, portanto, "seria um conceito incompatível com as transformações pelas quais lutava, pois este conceito representaria a união de todos indiferenciadamente – a 'síntese da felicidade deste país' – sem atentar para as profundas desigualdades de uma sociedade regida por relações escravistas". Valendo-se do exemplo desse homem,

....

20. Aqui há uma possível contradição, pois, em 1840, Luiza Mahin não estaria mais na Bahia, quando seu filho foi mandado para o Rio de Janeiro. Segundo consta, ela teria seguido para aquela província imediatamente após a Sabinada, em 1838.

Imprensa negra no Brasil do século XIX

cujos êxitos foram alcançados graças à sua aplicação aos estudos e ao bom manejo das ferramentas do "mundo branco", dito civilizado, o jornal indicava a luta pela educação como instrumento imprescindível ao alcance da autonomia dos negros.

Os processos de ensino, ao aglutinar as funções de fortalecimento individual e reação coletiva, foram ainda mote para o texto "Eduquemo-nos", assim introduzido:

Lançando um olhar para o futuro, sem esquecermos o passado, vemos que o homem preto, por sua índole, inteligência e amor ao trabalho, pode ter papel saliente na sociedade, embora espíritos retrógrados afirmem o contrário, querendo colocá-lo abaixo do nível de outras raças. Queremos que nos mostrem em que o preto é inferior ao branco? Em inteligência?
Não, porque todo o preto que tem estudado tem dado boa prova de si, chegando a ocupar página de nossa história.
Dirão que esses são poucos, não podendo, portanto, fazer peso na balança do julgamento.
Mas, senhores, como exigir da totalidade mostras de talento, se não lhes deram instrução! (*O Progresso*, n. 1, p. 2)

Ao contrário do que as teorias raciais vinham forjando, *O Progresso* tratava o restrito avanço social no meio negro como resultado da negação de oportunidades iguais para todos os membros da sociedade, e dava exemplos corriqueiros em que os talentos e virtudes eram preteridos em proveito da valorização das características físicas das pessoas brancas (Azevedo, 2004 e Schwarcz, 1993). As provas eram abundantes:

Muitas vezes em boas rodas eram admitidos tipos repugnantes cujo hálito empestava a atmosfera, pois eram ladrões, assassinos, sedutores, tudo quanto de vil a sociedade comporta; mas eram brancos ou *mulatos-claros* (?) No entanto, nessas cidades havia médicos ilustres, advogados cujos nomes eram respeitados no mundo forense, artistas de real merecimento, homens de caráter irrepreensível, famílias cuja honradez não admitia dúvidas, que, por serem pretos, eram desprezados por seus colegas. (*O Progresso*, n. 1, p. 3)

Tal manutenção ou mesmo aumento do desdém contra os negros devia-se ao nivelamento dos dois espaços mais imediatos de socialização negra, o cativeiro e a liberdade formal (Wissenbach, 1998, p. 189). Tendo o cotidiano escravista favorecido uma associação direta das imagens dos africanos e seus descendentes à estupidez e à barbárie, os tempos da liberdade sancionaram aos brancos a posse da insígnia da civilização. À medida que as críticas a essas percepções tornavam-se correntes, comentários como o seguinte facilmente apareciam: "os pretos, os que arrancavam das entranhas da terra regada com seu sangue a fortuna que seus *senhores* gastavam, eram tão idiotas que dispensavam tudo isso para devorar uma pelota de angu, um pouco de feijão e um pedaço de peixe (bacalhau), isto por ser dia de festa" (*O Progresso*, n. 1, p. 2-3).

O articulista de *O Progresso*, em sentido inverso, relativizava o alcance desse binômio civilização-barbárie, recobrando os limites impostos pela própria escravidão brasileira, que tolhia aos negros estímulos ao desenvolvimento do gosto por comidas e práticas consideradas sofisticadas, os quais

Imprensa negra no Brasil do século XIX

a muito custo eram aprendidos pela gente da elite local. "Como exigir, pois, desses homens civilização que lhes não deram?". E dizia mais: "[Os mesmos homens] que, vivendo sob o cativeiro foram atirados da noite para o dia ao grande turbilhão social, sem a menor noção de civilidade, tornaram-se verdadeiros patriotas [...]. O país que despreza elementos de força e progresso como esses é um país de cegos".

Investindo sobre o mesmo terreno, Bernardino Ferraz, no artigo "Superioridade da raça", dirigia suas forças para minar a autenticidade das correntes da ciência antropológica que submetiam os negros à condição de raça inferior, tanto fisiológica quanto psicologicamente. Num debate que extrapolava os limites do Instituto Histórico e Geográfico de São Paulo, rebatia as teses dos "antropologistas" que adotavam como peças de demonstração de suas teses "o menor volume do cérebro e a acumulação da massa encefálica na região occipital [parte ínfero-posterior da cabeça], o que para a frenologia é sinal de sensualismo e falta de concepção do mundo exterior". Ferraz colocava em xeque esses argumentos ressaltando as práticas científicas que não se limitavam a tais postulados e abriam "novos horizontes para a filosofia antropológica":

O homem já não é mais estudado pelo seu corpo físico, mas sim pelo ambiente onde ele se desenvolve. Um homem de cor preta criado e educado na Europa torna-se tão ilustrado e moralizado como um europeu que temos prova; e, ao mesmo tempo, um branco europeu criado no meio dos selvagens antropófagos não só será selvagem como também devorador de carne humana. (*O Progresso*, n. 1, p. 2-3)

Seriam falhas quaisquer tentativas de justificativa empírica que sustentasse as teorias sobre a hierarquização das raças. O articulista segue no aprofundamento dessa ideia e aborda a trajetória dos povos de "raça amarela", em especial os chineses. Na percepção assumida em *O Progresso*, essa civilização, no passado responsável pelo desenvolvimento de "grandes maravilhas", estava agora reduzida à mediocridade em virtude das mudanças de ordem histórico-social, não biológico-natural. Processo semelhante estaria em curso na Europa, "centro da raça branca", onde se passava "qualquer coisa de anormal, própria de uma raça cansada" – algo que fatalmente redundaria na perda da supremacia que ora desfrutava, "pois que muitos outros povos se civilizarão e reivindicarão os seus direitos".

Esses questionamentos retirados de uma antropologia cultural incipiente faziam frente às certezas da antropologia evolucionista e do determinismo racial. Afora suas nítidas limitações, pareciam trazer benefícios imediatos ao contestar a redução da noção de raça à de cultura, combatendo a ascensão do racismo biológico muito em voga. "A civilização é como uma onda impelida pela lentidão dos séculos através das raças humanas; ela não é propriedade desta ou daquela raça, porque todas elas são aptas a progredir" (*O Progresso*, n. 1, p. 4). Tal reconhecimento vinha demonstrar a grandeza das pessoas negras que conseguiam romper as barreiras sociais que atravancavam seu desenvolvimento, uma vez que:

> Os libertos mandavam seus filhos à escola e estes bem depressa davam mostras de que eram tão inteligentes como os brancos, e a prova é que os poucos pretos cuja condição pecuniária lhes facultou os meios de estudar

em estabelecimentos de ensino superior deram provas de pujança de espírito, salientando-se entre os seus contemporâneos.

É assim que temos nas letras, nas artes, nas ciências, pretos de real merecimento, que longo seria enumerar.

O controle exercido sobre os negros não se limitava às tentativas de rebaixamento absoluto. As chamadas exceções, utilizadas para demonstrar quão limitadas seriam as virtudes da gente negra, em outro momento embasariam a defesa da vigência de uma democracia racial no Brasil. Assim foi que muitos dos esforços empreendidos pelos negros ao largo do apoio governamental acabaram sendo utilizados por seus detratores para descaracterizar os problemas enfrentados (Bastide e Fernandes, 2008).

Diante de um conjunto de situações tão complexas, muito facilmente se entende aquele zelo pela educação. Tal preocupação, que não se limitava à demonstração dos fatos, recorria até à convocação declarada:

A vós homens pretos, por honra de nossa raça, por glória de nossos avós que morreram no árduo trabalho de fazerem fortuna pública e particular de nossa pátria, pedimos por tudo quanto mais caro vos possa ser: educai-vos, educai vossos filhos, ensina-lhes o caminho do dever que tem por ponto de partida o trabalho e a instrução. (*O Progresso*, n. 1, p. 3)

O trabalho foi outro tema importante naquele número de *O Progresso*. "A crise da lavoura", artigo também assinado por Bernardino Ferraz, criticava os subsídios destinados à substituição de mão de obra negra pela branca com o argumento da melhor aptidão dos europeus ao trabalho assalariado e modernizante. À época, a cultura cafeeira era a base da economia paulista, responsável pelo rápido desenvolvimento nos últimos tempos. Mas, nos tempos da presidência de Campos Sales, a produção do "ouro verde" entrava em crise. Acerca disso se pronunciava o "órgão dos homens de cor":

> Em nosso entender, a crise da lavoura não é o excesso de produção, mas sim o preço do trabalho, a falta de aptidão do trabalhador e a falta de braços. Rios de dinheiro tem o Estado dispensado com a migração, quantidade enorme de europeus tem aportado às nossas plagas, e clamor da falta de pessoal para a lavoura é geral! (*O Progresso*, n. 1, p. 4)

Assim, Ferraz somava-se ao coro dos nacionalistas críticos dos projetos imigrantistas que desvalorizavam o trabalhador brasileiro. Não era preciso recorrer aos valores da caridade para defender a contratação do trabalhador negro nos serviços agrícolas, tal como utilização feita por parte dos abolicionistas anos antes, segundo Célia Azevedo (2004, p. 205-211). Em vez disso, dispunha aos leitores uma avaliação ancorada em números:

> No estado de São Paulo há uns 300.000 trabalhadores europeus nas fazendas, os quais não dão vazão ao trabalho que em 1887 era feito com folga por 100.000 pretos! O desprezo dado aos pretos pelos fazendeiros é uma das principais causas da crise da lavoura.

Imprensa negra no Brasil do século XIX

Depois da abolição, um preto limpava mil pés de café por 40$000 anuais, hoje o europeu limpa por 80$000; um preto colhia um alqueire de café por 300 réis, e hoje o europeu colhe por 1$000. [...] Os pretos em todos os pontos de vista devem ser preferidos aos estrangeiros para o trabalho agrícola; e nem se diga que o trabalho do europeu supera o do nacional, porque dizem que o europeu trabalha impulsionado pela inteligência [...]. O governo paga, além da passagem, 70$000 por imigrante agrícola, o qual não para na fazenda e absorve essa quantia dos cofres públicos, sem o mesmo resultado para a lavoura e prova do Estado. Se esse dinheiro revertesse em benefício da educação agrícola dos nacionais, que grandes vantagens não seria para a lavoura e para o estado. (*O Progresso*, n. 1, p. 4)

Questionamentos que demoraram a ser feitos pela intelectualidade brasileira eram defendidos naquele momento por Bernardino Ferraz, para quem as políticas imigrantistas não passariam de pretexto para a exclusão da população negra do mercado de trabalho, na medida em que os estrangeiros brancos não dominavam a técnica de trabalho em terras brasileiras. O articulista incluía esse "erro de cálculo", cujo sobrenome era discriminação racial, entre as causas primeiras da crise do café.

Atuando no presente em nome da construção de um futuro próspero não dos negros, mas de todos os cidadãos brasileiros, os redatores desse jornal pretendiam a reversão do quadro de desigualdade em que viviam: "Muita gente não crerá que um dia a raça preta floresça como está florescendo a branca, mas se tomarem a história e procurarem a origem de todos os povos mais civilizados da Europa, ficarão convictos de que foram mais bárbaros, mais ignorantes que os africanos de hoje" (*O Progresso*, n. 1, p. 4). Assim já apostaram aqueles velhos militantes...

4

O Exemplo: negras lições que não podem passar em branco

NUMA BARBEARIA NASCEU UM JORNAL

Ao serem distribuídas por todas as regiões do Brasil, as populações negras empreenderam diferentes ações em nome de sua sobrevivência, dando mostras de resistência nos mais variados cenários. A imprensa figurou como uma dessas possibilidades. Cronologicamente, depois de *A Pátria*, em São Paulo, foi a vez de Porto Alegre receber uma produção jornalística feita por negros e voltada para a defesa dos interesses dessas pessoas. Em 1892, numa cidade em que 30% da população era de "pretos, mestiços e caboclos", aproximava-se a chegada do século XX e, como observa o historiador José Antônio dos Santos (2006, p. 26):

Nenhum jornal mostrava-se disposto a discutir e informar sobre questões e problemas que diziam respeito aos negros. Além disso, quase todos os grupos étnicos imigrantes dispunham de periódicos próprios e a imprensa operária, da qual a maioria dos negros fazia parte, não demonstrava vontade política para discutir e divulgar as questões relativas aos *homens de cor*.

Quem hoje caminha pela popular Rua da Praia, no centro de Porto Alegre, pode não saber, mas, em 11 de dezembro daquele ano, numa barbearia localizada no número 247 da chamada Rua dos Andradas, um grupo de homens negros deu início à publicação do jornal *O Exemplo*, primeiro título da imprensa negra gaúcha. "Reunidos em confabulação íntima", Arthur de Andrade, Esperidião Calisto, Marcílio Freitas, Aurélio Bittencourt Júnior, Sérgio Bittencourt, Alfredo de Souza, entre outros que ao todo somavam doze homens, resolveram "publicar este modesto órgão, que, pequeno no formato, fosse, no entanto, grande nos fins" – relembraria Freitas no primeiro aniversário do periódico (*O Exemplo*, n. 52, p. 1).

O grupo era razoavelmente heterogêneo. A título de ilustração, Esperidião Calisto, nascido em 1864, além de colaborar para alguns periódicos da cidade, era barbeiro de profissão e abrigou a empreitada jornalística em seu estabelecimento e local de trabalho (Santos, 2008, p. 87). Os irmãos Aurélio Júnior e Sérgio Bittencourt eram filhos de Aurélio Viríssimo de Bittencourt, homem negro, nascido livre em 1849 na cidade de Jaguarão, que alcançou espaços de destaque na vida cultural e política de Porto Alegre e até mesmo do Rio Grande do Sul. Trabalhou em vários veículos da imprensa local, figurou entre os fundadores do Partenon Literário, em 1868, e atuou como secretário particular de Júlio de Castilhos e Borges de Medeiros. Os filhos e posteriormente o neto Dário de Bittencourt também desenvolve-

Imprensa negra no Brasil do século XIX

ram carreiras no mundo das letras e da política. Aurélio Júnior formou-se bacharel pela Faculdade de Direito de São Paulo, em 1896, e atuou como juiz em São Leopoldo e Porto Alegre (Barreras, 1998, p. 39-ss).

O Exemplo percorreu 37 anos, encerrando suas atividades somente em 1930, em virtude de complicações financeiras. Porém, como explica Oliveira Silveira (1972, p. 22), "não foi uma carreira ininterrupta, é verdade: o jornal teve várias fases, mas sempre ligado a um mesmo grupo, que se foi renovando". A primeira fase correspondeu aos jornais publicados entre 1892 e 1895; a segunda, ao período que vai de 1902 a 1905; a terceira, de 1910 a 1911; e a última, feita nos anos de 1916 a 1930 (Moraes, 2002). O diálogo aqui apresentado tomou como referência apenas os exemplares do primeiro ano de vida de *O Exemplo*, período que totaliza a publicação de 52 números.

O artigo de abertura do número inicial expôs os significados daquela grande tarefa. Incomodados com a "letargia" e o "marasmo intelectual" do meio social negro, os redatores de *O Exemplo*, primeiramente, apresentaram ao público o resumo de seu programa editorial: "O nosso programa é simples e podemos exará-lo em duas palavras: a defesa de nossa classe e o aperfeiçoamento de nossos medíocres conhecimentos". Do mesmo modo, em diversos momentos, o impresso serviria como espaço para a denúncia e o combate ao cotidiano de discriminações raciais:

Devemos mostrar à sociedade que também temos um cérebro que se desenvolve segundo o grão de estudo a que o sujeitemos e, por consequência, que também nos podemos alistar nas cruzadas empreendidas pela inteligência, muito embora algum estulto nos queira acoimar, ou seja porque desconheça as nossas legítimas aspirações, ou seja porque faça parte dos doutrinários que julgam o homem pela cor da epiderme. (*O Exemplo*, n. 1, p. 1)

Imbuídos da missão de fortalecer a gente negra local e defender seus interesses, abordaram inúmeros temas nas páginas do jornal. Os assuntos iam das queixas à tributação de impostos sobre o trabalho das lavadeiras à divulgação de medidas de saneamento público para a prevenção do cólera, num artigo de Lindolpho Ramos, passando pela propaganda do casamento civil, pela defesa da moralização da imprensa, feita por Marcílio Freitas, e a intervenção perante a mudança dos dias de funcionamento do comércio na cidade (Cf. ns. 7, 14, 18, 29, 38). Traduções e textos literários também ocupavam espaço de destaque na primeira página. Educação, saúde, lazer, política, economia, trabalho, enfim, tudo era reconhecido como objeto de alto interesse da população negra da capital gaúcha.

Tratava-se, assim, de um "jornal literário, crítico e noticioso", como Arthur de Andrade ressaltou na edição de aniversário (*O Exemplo*, n. 52, p. 1). Em sua coluna "Aconselhando", notificou os leitores de *O Exemplo* sobre a nova regra do governo que impunha aos proprietários das vendas e armazéns da cidade o fechamento aos domingos. Isso alterava o cotidiano dos trabalhadores de baixa renda, segmento de expressiva presença negra. Diante do descontentamento popular, o articulista fazia coro com os que consideravam injusta a medida. Em suas palavras: "se aproveita a uns que querem entregar-se ao descanso nos domin-

Imprensa negra no Brasil do século XIX

gos, deprime, por outro lado, aos menos abastados e dispõem de pouquíssimo tempo para atender às múltiplas necessidades de sua família". Entretanto, admitindo que a modificação já era efetiva, Andrade dirigia-se aos *"senhores mestres de obra e proprietários*, esperando encontrar em sua generosidade um meio de aliviar tão prejudiciais quão desagradáveis danos", para propor um ajuste que remediasse os contratempos gerados: "Esperamos, pois, que as férias desses filhos do trabalho lhes sejam abonadas nas sextas-feiras ou, pelo menos, no sábado ao meio-dia" (*O Exemplo*, n. 18, p. 1).

Como nessa ocasião, em várias outras os redatores tomaram parte nas discussões públicas e apresentaram propostas para a garantia do bem comum. A cada domingo, a equipe do jornal reafirmava os compromissos assumidos com o público. Aproveitando circunstâncias especiais, como a comemoração do fim do escravismo, criavam-se até mesmo oportunidades para relembrar os primeiros objetivos. Na edição de 13 de maio de 1893, Esperidião Calisto afirmava:

Nós, descendentes dessa raça injustamente malsinada e abocanhada pela renga civilização tão alardeada pelos nossos compatriotas, e que nos agremiamos para na arena onde se refletem as necessidades humanas – o jornalismo – guerrearmos o preconceito de raça, de que tanto tem abusado até hoje os nossos governos. (*O Exemplo*, n. 22, p. 3)

Calisto, que também escrevia no jornal *A Federação*, órgão republicano, não deixava de apresentar críticas à permanência e à reprodução do racismo nos tempos da República. Os vínculos políticos individuais dos jornalistas deveriam, pois, ficar em segundo plano diante dos propósitos da folha. Prova disso é o início da décima quarta edição de *O Exemplo*: "Mais uma vez somos forçados a dizer, por estas colunas, que este órgão não tem cor política; é neutro no rigor da palavra e seu fim é a defesa dos direitos dos *homens de cor* e a pugna pelo levantamento moral de sua classe" (*O Exemplo*, n. 14, p. 1).

Naquele primeiro momento, as páginas de *O Exemplo* foram impressas em duas tipografias. Conforme indicação do próprio jornal, seus doze primeiros números foram impressos na Tipografia do jornal *Mercantil*, onde o pai dos irmãos Bittencourt iniciara sua carreira jornalística nos anos 1860. Em virtude do "empastelamento e destruição completa do material de que foi vítima" aquele estabelecimento gráfico em março de 1893 (*O Exemplo*, n. 13, p. 4), o impresso negro transferiu a impressão para a Tipografia do Rio Grande, lá permanecendo até a publicação do vigésimo segundo número, quando retornou para a Tipografia do *Mercantil* (*O Exemplo*, n. 23, p. 3).

Resoluções dessa natureza saíam do escritório de *O Exemplo*, também local de trabalho de Esperidião Calisto, como dito. Quando o diretor de redação Arthur de Andrade ficou doente entre os meses de janeiro a março de 1893, Aurélio Júnior substituiu-o em suas atribuições de redator chefe (*O Exemplo*, n. 7, p. 3). Marcílio Freitas respondia pelo posto de editor gerente e cabia a ele o cuidado especial com o fechamento e a cobrança das assinaturas, a princípio mensais, no valor 500 réis, mas que, tempos depois, se tornaram trimestrais, mantendo a proporcionalidade para 1$500.

Imprensa negra no Brasil do século XIX

Ali recebiam solicitações para anúncios de serviços e eventos, notas de felicitações por aniversários, casamentos, nascimentos, viagens e conquistas pessoais, bem como informes de falecimentos por morte natural – muitos de crianças – ou até mesmo por suicídio. Esses espaços, preenchidos mediante pagamento, garantiam a captação de recursos extra-assinaturas e ainda aumentavam o alcance do impresso na rede social à qual se ligava.

Muitas associações e sociedades de base negra ou inter-racial registraram suas atividades nas páginas de *O Exemplo*. Entre essas estavam a Floresta Aurora, a União Profissional, a Estrela D'Alva, a Reunião Familiar, a Flor do Centro, e os Clubes das Moças, Recreativo Operário, da Juventude, Democrata, dos Quinze e Caixeiral.

O diálogo que o jornal mantinha com o meio social negro também se mostrava nas colunas-seções "Alfinetadas", "Mexericando", "Ferroadas", "Carapuças" e "Pauladas", as quais eram repletas de troças e gracejos sobre o comportamento de pessoas facilmente identificadas na comunidade. Considerados fofocas por alguns, acabaram resultando em várias reclamações aos redatores do jornal, mas como o órgão fazia questão de justificar: "Quando criamos a seção Mexericando, só tivemos em vista apontar pequenos desvios ou transgressões originadas por mera irreflexão de quem os praticasse, mas nunca transformá-la em balcão de intrigas, escândalos e maledicências" (*O Exemplo*, n. 20, p. 1). A dimensão burlesca das tiradas era inegável, e essa emenda poderia ficar pior do que o soneto. A bendizer, *O Exemplo* pretendia ensinar por meio do riso... era graças a esses espaços que o editor gerente, de forma cômica, promovia as cobranças das mensalidades atrasadas: "Dizem

[...] que brevemente serão publicados os nomes dos caraduras que depois de terem recebido muitos números do nosso jornal dizem com o maior sem-vergonhismo ao cobrador: Não sou assinante..." (*O Exemplo*, n. 7, p. 3).

Com ou sem comicidade, o jornal conseguia se desenvolver. Em junho de 1893, seis meses após o lançamento, tanto se buscava a consolidação de suas conquistas quanto se buscavam novos avanços: "Os esforços até então empregados têm sido de certa forma correspondidos; mas é de necessidade que *O Exemplo* se multiplique e penetre mais intimamente em muitos meios ainda incultos, com o fim de melhorar-nos e assim irmos realizando nosso *desideratum*" (*O Exemplo*, n. 25, p. 1). Tratava-se de enfrentar as limitações originadas das condições da própria comunidade à qual a folha se dirigia. Paulo Ricardo de Moraes (2002, p. 42) identificou os problemas constantes ao desenvolvimento extensivo e intensivo da imprensa negra gaúcha, o que pode ser aplicado a outras experiências: "Por um lado, o baixo poder aquisitivo do povo negro não lhe permitia [...] adquirir periodicamente o exemplar de um jornal ou revista, e de outro, todos os veículos da imprensa negra eram basicamente sustentados pelos grupos negros e militantes que apostavam neste tipo de ideia". Foi com esse horizonte incerto que os redatores de *O Exemplo* tiveram de lidar.

A FOLHA COMO TRIBUNA DO COMBATE AO RACISMO

As páginas de *O Exemplo* não deixam dúvida: mulheres e homens negros viveram intensamente a cidade de Porto

Imprensa negra no Brasil do século XIX

Alegre nos últimos anos do século XIX. É possível dizer que agiam dessa forma em tempos anteriores, mas as imagens que sobressaem da leitura dos números desse jornal negro referem-se a uma época específica, em que oficialmente o escravismo fora abolido e a proclamação da República trazia novas esperanças quanto à igualdade entre os cidadãos. De acordo com a ativa participação dos descendentes de africanos na vida da cidade, o antropólogo Iosvaldyr C. Bittencout Júnior atribuiu a vários cenários da capital gaúcha a denominação de territórios negros. Consoante o pesquisador, "na capital gaúcha, a partir da segunda metade do século XIX, o maior contingente de negros se encontrava nas cercanias da cidade, no Areal da Baronesa, na Cidade Baixa, imediações da atual Rua Lima e Silva, e nas chamadas Colônia Africana e 'Bacia', atuais bairros Bonfim, Mont Serrat, Rio Branco e Três Figueiras" (Bittencourt Júnior, 2005, p. 36). Era comum a presença dessas pessoas nas ruas e praças de Porto Alegre, desempenhando várias atividades.

Esse trânsito nem sempre significou tolerância, muito menos pôde ser traduzido em respeito. Gente na rua, circulando e trabalhando não era sinônimo de democracia racial, tal como denunciava *O Exemplo* em 1º de janeiro de 1893:

A República brasileira consagrou o dia de hoje à confraternização dos povos. O seu intento foi, portanto, estreitar num único elo, todos os brasileiros, todos os cidadãos autóctones da vasta região que ocupa quase metade da América Meridional. Entretanto, porém, aquele que, imparcialmente julga os fatos históricos, aquele que vai à planatura do Iran buscar a etnografia e etnologia da humanidade, sente-se, por assim dizer, coagido a exclamar que a confraternização não passa de uma utopia, de um vocábulo aplicável na teoria, mas de nulo valor na prática. (*O Exemplo*, n. 4, p. 1)

Mais uma vez, a fala construía-se com base no sentimento de descompasso entre as expectativas geradas e a permanente não realização dessas promessas. A forma republicana de governo, anunciada como amiga da igualdade entre todos os cidadãos, não fora o bastante para inviabilizar o preconceito e a discriminação raciais. Em meio a várias evidências de contradições e arbitrariedades empreendidas por indivíduos comuns e pelos principais representantes da nova ordem, os jornalistas responsáveis pela folha saíam em defesa do cumprimento das leis, como garantia imediata da justiça:

Estamos em pleno regime democrático; no entanto não nos é dado ainda gozar os largos e benéficos princípios que derivam desse salutar sistema governativo.
Há como que uma obsessão no espírito de várias entidades sociais que as leva à má compreensão de que não somos todos iguais perante a lei, a qual estabelece para todos, sem distinção de raças, um incontestável direito às suas vantagens e garantias. (*O Exemplo*, n. 5, p. 1)

Quanto às particularidades de Porto Alegre, eram abundantes os casos noticiados pelo *Exemplo* em que os negros, na figura de indivíduos ou grupos, eram expostos a situações de constrangimento público e privado em razão de suas características físicas, ou melhor, das representações

Imprensa negra no Brasil do século XIX

discriminatórias baseadas em valores depreciativos atribuídos às marcas da ascendência africana. Essa dinâmica sociocultural ameaçava até o direito de ir e vir da população negra, como aparece no episódio em que sociedades dançantes formadas por pessoas brancas, em comum acordo, decidiram que os salões por elas frequentados não poderiam ser alugados a sociedades de negros. Curiosamente, julgavam poder interferir na liberdade dos proprietários dos imóveis. Por motivos óbvios, o jornal lançava-se ao combate de tal capricho:

> Ignoramos em que se funda *essa gente* para pretender postergar-nos assim.
> O que pensam? Por ventura a legislação existente faculta-lhes um direito e a nós, outro? Acaso julgam-se nobres? Teremos plebeus? Não, três vezes não!
> A República, que desconhece honrarias, não vê nobres nem plebeus e tem, sob sua proteção, os cidadãos de todas as classes, no seu território. (*O Exemplo*, n. 27, p. 1)

A mesma República que ignorava diferenças entre os cidadãos deixara de criar mecanismos que garantissem o respeito aos direitos de todos e em todas as ocasiões. Sendo assim, não raras vezes acabava servindo apenas como moldura de uma paisagem repleta de lances nada edificantes. O jornal deu destaque a muitos protestos relativos a agressões. Confiante nessa concepção da imprensa como tribuna do povo, um cidadão de nome L. Leme denunciara a *O Exemplo* um incidente de cárcere privado a que estariam submetidos um homem negro e sua família, com a anuência das autoridades locais. De acordo com o jornal, o denunciante era "pessoa que nos merece crédito", tendo, por isso, seu texto publicado:

A princípio julgamo-nos entre uma tribo de selvagens, mas infelizmente não!... estávamos em presença das autoridades locais. Que autoridades aquelas sem coração e humanidade! Veja!!!
Em um tosco e imundo barracão jaziam seis presos amarrados pelo pescoço aos esteios do mesmo; junto a um dos presos estavam uma senhora e três criancinhas, todos de cor preta e que choravam desesperadamente pela desgraça de seu esposo e pai.
Ficamos realmente penalizados diante desse quadro horrendo da ferocidade humana. A vítima capital era um pobre velho da cor preta que ali sofria duros castigos.
O que tinham feito esse pobre e essa miserável gente para assim serem tratados? Alguém nos disse que o pobre velho fora preso por haver contra ele suspeitas de crime abjeto, mas é sabido que o pobre velho vive honesta e laboriosamente e é bem quisto entre os moradores do lugar.
Esperamos providências no sentido de serem respeitados nossos direitos, pois uma prisão imposta assim é somente uma atrocidade e uma violência infligida à liberdade desse nosso conterrâneo. (*O Exemplo*, n. 5, p. 4)

As ações narradas nesse artigo batiam de frente com o postulado no artigo 72, parágrafo primeiro, da Constituição da República, de 1891, segundo o qual ninguém poderia ser obrigado a fazer ou deixar de fazer alguma coisa senão em virtude da lei. A contestação noticiada girava, justamente, em torno desse ponto. Era preciso fazer a lei valer. Assim como Leme procedeu naquela denúncia, *O Exemplo* também procurou retirar legitimidade das práticas discriminatórias cotidianas e ratificar o valor das letras norteadoras da ordem do país, adotando-as como parâmetro argumentativo. Essa atitude correspondia à principal arma utilizada no combate ao racismo contra negros.

Houve, portanto, muito trabalho e muitas páginas escritas, na medida em que, sem muitos disfarces, vários outros princípios do direito constitucional eram desrespeitados em situações que previam o envolvimento de pessoas negras em conflito com brancas. Um exemplo pode ser retirado do artigo "Mais um vexame", que relatava como desordeiros atrapalharam uma atividade ocorrida nas dependências da Sociedade Beneficente Cultural Floresta Aurora[21]. Durante uma festa de aniversário realizada no salão da Floresta Aurora, na noite de 24 de dezembro de 1893, um grupo de rapazes da "alta sociedade, que embriagados erravam pelas ruas da cidade, sem que a polícia lhes embargasse o passo", invadiu o espaço a fim de acabar com o baile. Ao serem coagidos pelos associados a se retirar do local, um deles disparou um tiro de revólver, "semeando o alarme no seio

....

21. Nas palavras de Nereidy Rosa Alves (2002, p. 9), participante ativa da instituição, "a Sociedade Beneficente Cultural Floresta Aurora, entidade fundada em 31 de dezembro de 1872, por negros forros, contempla uma parte importante da história social dos negros no Rio Grande do Sul. A sociedade surgiu com caráter beneficente, para auxiliar famílias negras em caso de óbito, custeando o funeral e prestando assistência aos familiares do falecido. Os fundadores na maioria eram operários". A Sociedade Floresta Aurora continua sendo referência para os cidadãos negros de Porto Alegre.

das famílias". Depois disso, os agressores não apenas conseguiram fugir, como também o fizerem de "mãos dadas com os soldados que por ali patrulhavam". Além da denúncia quanto à "desconsideração da parte das autoridades que não veem nosso direito de equidade", a redação de *O Exemplo* aproveitou o episódio para elogiar a postura das vítimas:

> Já não é a primeira vez que nesta cidade se reproduzem esses espetáculos tristes e vergonhosos em que quase sempre se exibem homens que se vangloriam de hombridade: lamentável, porém, é que esses indivíduos, aproveitando-se da noite, violentem a liberdade de cidadãos inertes e pacíficos. Um consolo nos resta todavia... Nunca um grupo de homens *de cor* invadiu um salão, fomentou desordens e insultou famílias que pacificamente entregavam-se a modestos folguedos; no entanto acabamos de presenciar da parte desses *nobres valientes* o indecoroso espetáculo que narramos. É digno de nota este contraste de educação! e oxalá que esses indivíduos infames e perturbadores da ordem se compenetrem de seus deveres. (*O Exemplo*, n. 4, p. 1)

Mesmo com as queixas e os conselhos, os atos arbitrários se repetiam, tendo a força policial os agentes de maior proeminência. Passados três números desde a publicação daquele artigo, *O Exemplo* tornaria público outro fato desagradável, desta vez envolvendo o cidadão Adolpho Peres, condutor de carro de praça agredido por dez guardas municipais, "numa ferocidade insólita", quando "nos misteres de sua profissão" conduzia uma família na subida da Rua General Paranhos. Segue o complemento da notícia:

Imprensa negra no Brasil do século XIX

Na referida rua, os animais que tiravam o veículo empacaram; nesse caso Adolpho procurava fazê-los seguir caminho fustigando-os, quando inopinadamente é acercado por esses agentes da força pública, que deviam ser os primeiros a manter a ordem, e grosseira, senão brutalmente, espancado a *panos* de rifle, tendo ficado contundido em diversas partes e com um grande talho em uma das mãos. (*O Exemplo*, n. 7, p. 1-2)

O impresso, mais uma vez, solicitou o respeito à legislação em vigor e argumentou a favor da moralização das práticas públicas. Em outras palavras, o debate permanecia dentro da legalidade. Paralelamente, os agentes da ordem pública se tornavam figuras frequentes nas páginas do jornal negro gaúcho. Entre as inúmeras razões para tanto, havia sua decisiva participação nos processos de alistamento forçado de homens negros para a composição da força militar do estado do Rio Grande do Sul ordenada sob o governo do presidente Floriano Peixoto e de Júlio de Castilho e empregada contra a Revolta Federalista, ocorrida entre 1893-1895. A opinião consensual da redação parece ter sido a emitida no artigo "Escândalo!", em março daquele ano:

A polícia está infringindo a letra da Constituição do Estado! Desconhece a igualdade de todos perante a lei e prende homens *de cor* violentando-lhes a liberdade, coagindo-os a abandonar seus labores, lares e famílias, obrigando-os a verificarem praça na força militar do Estado. Isto é uma violência inqualificável. Enquanto os homens de cor preta e parda são desconsiderados assim, os de cor branca são restituídos à liberdade e vagueiam tranquilos pela cidade.

É lastimável essa falta de equidade. [...] Pois saibam que os violentados farão muito pouco na defesa da causa rio-grandense, por não terem sido consultados e por não se terem apresentado espontaneamente.

Falta-lhes o ardor cívico, sufocado pela prepotência das autoridades e serão sempre maus soldados... (*O Exemplo*, n. 13, p. 1)

Embora apostasse no futuro promissor da jovem República brasileira, *O Exemplo*, na figura de seus redatores, não deixava de apresentar críticas a certos caminhos tomados na nova forma de governo, como acontecia com o recrutamento. Nisso se aproximava de José do Patrocínio, quando esse tratava do mesmo assunto no Rio de Janeiro, por meio de seu jornal *Cidade do Rio* (*O Exemplo*, n. 36, p. 1-2).

Aquelas atitudes vinham se tornando comuns entre os policiais de Porto Alegre, que naquele momento, por ocasião do conflito político, acentuavam a repressão. A primeira edição de *O Exemplo*, ainda em 1892, deixava pistas ao anunciar a prática de prisão abusiva contra homens negros: "No dia 9 foi recolhido à cadeia civil desta cidade o laborioso operário Alcibíades Emilio de Figueiredo. Ignoramos os motivos" (*O Exemplo*, n. 1, p. 4). Outros relatos foram incorporados em números posteriores, como a notícia da morte de Caetano Homero, em decorrência das torturas por agentes da força pública por ocasião de sua prisão (*O Exemplo*, n. 33, p. 1).

Em virtude de seus posicionamentos, o próprio *O Exemplo* foi alvo de ataques, que felizmente não chegaram a

Imprensa negra no Brasil do século XIX

agressões físicas. Ao defender a classe dos "homens de cor", "não poupando esforços para a realização desse fim", conquistou a atenção de detratores. O editorial da vigésima edição alertava: "Há por aí um grupo de indivíduos, cujo critério se tem empanado pelo mais sórdido interesse, que pretendem ganhar o desfavorecimento de nossa folha, malsinando-nos, caluniando-nos com o emprego da mais torpe e baixa das intrigas". Conhecedores das artimanhas dos inimigos, que estimulavam a "indisposição entre nossos companheiros de luta para, com esse alvitre, alcançarem a dissolução da empresa", os redatores defendiam: "precisamos esmagar por completo o amontoado de difamações que a inépcia, a inveja e o despeito têm levado a arremessar contra nós. Precisamos confundi-los, desmascará-los, a fim de que não fique impune tamanha corrente de deslealdades e vilanias" (*O Exemplo*, n. 20, p. 1).

A despeito das diversas origens dos insultos tanto contra si quanto a outros negros, *O Exemplo* optava pela manutenção de postura reservada ou mesmo ética para com os agentes das discórdias. Embora as práticas discriminatórias atingissem inúmeras pessoas da "classe dos homens de cor", *O Exemplo* preferia tratá-las mais como expressões de mesquinharias e ignorância de algumas pessoas e grupos, a estender a toda a população branca porto-alegrense a alcunha de racista. O enfrentamento só se dava com os adversários declarados, como os que atacavam o jornal ou impediam a livre circulação das pessoas negras pela cidade. Afinal de contas, era preciso o apoio do maior número de pessoas para a perpetuação dos trabalhos desenvolvidos até ali. Em seus objetivos específicos, por outro lado, ficava garantida e justificada a fala em prol do protagonismo do grupo negro:

Já é tempo de pugnarmos por nossos direitos; já é tempo de congregarmo-nos para marcar a nossa grandeza vindoura. Está reservado ao Rio Grande do Sul um futuro esplêndido e dele participaremos como filhos da mesma terra gaúcha. Temos direitos inconcussos adquiridos por nossos antepassados, os quais continuam a ser sustentados por compatriotas contemporâneos. Não precisamos ir longe para abater essa pretensão fútil e abjeta de uma parte da raça branca. (*O Exemplo*, n. 27, p. 1)

Para se contrapor aos que buscavam a exclusão das crianças negras do ensino público, *O Exemplo* destacou:

Mas então vós que vos julgais oriundos de uma raça tão superior, que levais o vosso orgulho ao ponto de sentirdes repugnância dos descendentes da raça negra, deveis revelar, em vossa atitude para conosco, mais coerência. [...] Para provarmos isso, basta lembrar-vos de que, quando a Pátria pede sacrifício ingente de seus filhos para a desafrontar de insultos lançados à sua face por uma nação inimiga, vós com raras exceções, ficais no doce conchego do lar, pretextando este ou aquele impedimento; enquanto que nós, os *homens de cor*, cheios de abnegado ardor, acudimos pressurosos à reivindicação dos brios nacionais.

Vós, num egoísmo abastardo e vil, vos limitais aos rega-bofes da família, antegozando as propinas resultantes de uma conflagração que muitas vezes tendes adrede preparado. Nós, que contraste! Formamos numa totalidade digna de nota as fileiras de heróis que se oferecem em holocausto da Pátria! (*O Exemplo*, n. 5, p. 1)

O Exemplo trazia ainda uma crescente indignação a respeito da inércia do poder público perante as queixas apresentadas constantemente no jornal, as quais não alcançavam providências reais. Talvez por isso, em dado momento, a postura legalista do impresso foi deixada um pouco de lado em proveito da autodefesa dos negros, como neste episódio:

No dia 22 à noite, sábado, estavam em reunião íntima algumas famílias de *cor*, quando foram sobressaltados com a presença de várias praças do exército e paisanos fardados [supostamente brancos] que desrespeitaram a todos que lá se achavam, injuriando-os com epítetos caluniosos, somente porque se opunham à entrada deles. Esgotados os meios brandos com que alguns moços procuraram dissuadir os importunos do propósito em que se achavam, aqueles empregaram meios mais enérgicos, isto é, repeliram-nos a pau.

Temos por estas colunas registrado casos idênticos e pedido providências às autoridades competentes. Essas providências, porém, não têm sido tomadas, porque esses fatos reproduzem-se seguidamente; portanto aplaudimos o procedimento dos dignos moços.

Uma vez que as autoridades são impotentes para conter os abusos de meia dúzia de *engraçados*, resta-nos usar o direito da força. (*O Exemplo*, n. 33, p. 1)

Por essas e outras, quando alcançaram a marca de um ano de existência, organizadores e colaboradores de *O Exemplo* tinham muito para comemorar com a conquista. Entre tantos, Hélio Silva, a seu modo, construía um elogio àquele "11 de dezembro":

Comemora-se hoje o primeiro aniversário do modesto jornal *O Exemplo*, e não podendo silenciar sobre esse fato insignificante na aparência, porém verdadeiramente grandioso para todo aquele que como eu tem perfeito conhecimento do nosso meio social, e que por isso não desconhece os enormes obstáculos que se antepõem a uma publicação desse gênero, venho saudar o grupo de espartanos que, apesar de todos os tropeços, apesar de toda a guerra movida pelos inimigos do progresso, aqueles aos quais convém deixar nossa classe em eterna obscuridade [...], conseguiram sustentá-lo este período (*O Exemplo*, n. 52, p. 1).

De fato, muita coisa havia sido feita e de maneiras bem diversificadas. Além do mostrado aqui, outras surpresas estão reservadas a quem se debruçar sobre os números reminiscentes de *O Exemplo*, desta fase e das seguintes. Nesse rico material, houve espaço até para polêmicas internas, travadas entre redatores do próprio jornal. A seguir, a que fora motivada pelo debate do tema do racismo no sistema educacional.

DIVERGÊNCIAS SIM, MAS EM DEFESA DA EDUCAÇÃO

Promover a educação no meio negro foi preocupação central em *O Exemplo* desde seu primeiro número[22]. A fim de

22. Segundo dados coletados por José Antonio dos Santos (2006, p. 27), a equipe do jornal O *Exemplo* fundou uma escola noturna em 1902, ano da comemoração de seus dez anos de existência.

Imprensa negra no Brasil do século XIX

aperfeiçoar "nossos medíocres conhecimentos", os redatores seguiram em várias direções, incluindo a abordagem da educação formal. Em mais esse ponto, a luta daquele momento teria ressonância no empreendido pelos movimentos negros do século XX e antecipava práticas comuns em nome da extensão do direito ao ensino público e de qualidade, em todos os níveis. A educação era percebida como via de mobilidade, ascensão e integração social.

No tocante à realidade do Rio Grande do Sul, a alfabetização poderia ser instrumento recente até mesmo na trajetória das famílias dos redatores de *O Exemplo*. O analfabetismo verificado entre a população negra da capital gaúcha, assim, merecia os cuidados desse grupo. O editorial "A quem toca", do quinto número, mostrou as barreiras que surgem da conexão entre racismo e educação O texto alertava sobre o fato de algumas escolas públicas da capital estarem abertamente se recusando a admitir os estudantes negros, ou limitando o número de matrículas. E mais: os matriculados estariam sendo alvo de maus-tratos por parte de seus professores, "a ponto de seus pais, em justa indignação, retirarem-nos das aulas. E aí ficam essas crianças atiradas à sociedade de uma ignorância crassa e prejudicial!". O editorialista, a partir daí, estabelecia um confronto argumentativo com os agentes da discriminação que, além de um atentado contra o progresso da sociedade em geral, era a comprovação de um crime contra o que pregava a Carta Magna.

Assim, apesar de certos grupos investirem contra a escolarização das pessoas negras, a redação de *O Exemplo* insistia tanto em estimular o gosto pelo conhecimento, numa estratégia de superação do racismo e da discriminação. Havia nas palavras do periódico um desejo manifesto de que os seus próximos pudessem ser incorporados dignamente à dinâmica social estabelecida, à nação da qual se sentiam membros:

> Os homens de cor preta e parda na sua maioria constituem hoje uma grande comunhão que, para ser sólida e saliente, necessita apenas de instrução. O nosso meio tem-nos mostrado que para sermos benquistos e considerados necessitamos de dar exemplos de boa conduta e vem, portanto, em boa hora que os de nosso grêmio lancem a atenção para estas linhas, pautando seus atos pelos sãos princípios da moral.
> É verdade que a maioria dos nossos é completamente ignorante, mas ainda é tempo de reparar o mal, dedicando-se todos ao cultivo da inteligência e dos bons sentimentos. E se os pais não quiserem dar-se ao trabalho de já, em adiantada idade, ir estudar o a b c, prestem ao menos um serviço à sua pátria e cumpram um dever que lhes é imposto pela condição paterna, mandando os filhos para a escola, a fim de receberem aí a luz e o conhecimento da verdade. (*O Exemplo*, n. 16, p. 1)

De dezembro de 1892 a junho de 1893, *O Exemplo* produziu um considerável material em torno da educação para jovens e adultos. Tratava-se de um tema tão apreciado no debate público que, curiosamente, acabou dando vazão a uma polêmica entre Miguel Cardoso e Esperidião Calisto. Por nove números, nos meses de junho a agosto, Cardoso questionou os argumentos que atribuíam ao "preconceito de raça" as principais motivações para a permanência

Imprensa negra no Brasil do século XIX

dos negros na "ignorância" e sua exclusão dos espaços escolares.

No primeiro momento, o articulista apresentou uma sequência de três artigos distribuídos, respectivamente, nos números 28, 29 e 31. Miguel Cardoso apresentaria o artigo "Atualidade I" no espaço normalmente destinado ao editorial de *O Exemplo*. De início, os argumentos não fugiam à orientação adotada pelos demais redatores e do que postulava o programa da folha. Cardoso defendia a massificação do ensino e a abnegação dos pais em benefício da prole: "Sacrificai embora vossos interesses; porém mandai ao colégio vossos filhos [...] Com instrução ele saberá defender seu direito, quando violado; e então! na imprensa como na tribuna ou nos comícios populares, ele esmagará o prepotente com a força da palavra, fundado no direito e na razão" (*O Exemplo*, n. 28, p. 1). No entanto, quando o texto já chegava ao fim, eis que surge a dissonância:

De há muito que o estado de acabrunhamento em que vivemos em nosso meio é tomado como preconceito de raça; e isso, provado com a natureza dos fatos evidentes; porém, esses mesmos atos é (*sic*) tão somente pela absoluta falta de instrução na maior parte desse meio. Tanto é assim que nos comprometemos desde já a estabelecer paralelos, a fim de deixar provado, sob o maior ponto de vista, a veracidade de nossa asserção.

Tanto naquele número quanto no seguinte, nenhuma outra opinião foi apresentada para diretamente desbancar o que acabara de ser afirmado por Miguel Cardoso. Em vez disso, esse voltaria à cena com "Atualidade II", não mais na coluna editorial, reservada ao tema do casamento civil. Ainda na primeira página, o articulista desenvolveu seu diagnóstico sobre o atraso educacional da população negra porto-alegrense: "temos aulas primárias de instrução, mas se visitarmos uma a uma essas aulas, não encontraremos aí, entre cem frequentadores, vinte meninos de *cor*; isso prova suficientemente o descuro ou pouca importância que tem a instrução para a maior parte do nosso meio" (*O Exemplo*, n. 29, p. 1). Cardoso entendia que essa carência educacional agravava as desvantagens dos trabalhadores negros em relação aos estrangeiros: "Ainda sendo um operário, é imprescindível a instrução; pois urge acabar com a concorrência que nos faz o estrangeiro dentro de nosso país, fazendo sofrer mais a nossa classe, que constitui o verdadeiro proletariado" (*O Exemplo*, n. 29, p. 2).

Após o intervalo de um número, Cardoso apresentou o "Atualidade III", no qual finalmente revelou o porquê de não associar ao "preconceito de raça" os dissabores pelos quais passava a "classe dos homens de cor":

> Em nosso primeiro artigo, comprometemo-nos provar o contrário do que se estabelece ou por outra se tem estabelecido com relação ao que se chama preconceito de raça; preconceito este que muitos dos nossos julgam alusivos aos homens de cor em geral. Mas isso tanto assim não é que muitos de nossos irmãos são chamados a ocupar cargos públicos; e alguns o ocupam debaixo de alta responsabilidade, bem a contento daqueles de quem são degradados, mostrando assim serem dignos de figurar ao grande círculo da igualdade social. Vê, pois, o leitor que para esses não existe o preconceito de raça de que

Imprensa negra no Brasil do século XIX

se queixam muitos. [...] Vultos bem salientes de homens de cor existem na sociedade brasileira e que fazem parte de círculos importantes, quer na vida pública, quer na militar sem distinção dos outros homens.

Julgo ter assim provado que a instrução é o único motivo pelo qual eles têm o mérito que lhes é dispensado e de que se torna merecedor todo o homem que impõe à consideração pública, pelos seus atos, ilustração e isenção de caráter. (*O Exemplo*, n. 31, p. 1)

Uma vez completada a trilogia de Miguel Cardoso, na trigésima segunda edição Esperidião Calisto apresentou suas divergências a respeito das inferências do outro redator. Somente após o detido acompanhamento das composições do "patrício e amigo" e diante de sua persistência em negar a vigência de "preconceito de raça" na sociedade gaúcha, o jornalista se pronunciou no editorial "Pelo dever":

Aplaudindo, com algumas alternativas, os conceitos emitidos nos dois primeiros, por estarem traçados de acordo com o programa que subscrevemos, temos, no entanto, de opor algumas objeções quanto ao terceiro. [...] [Esse] danifica completamente o *ferro frio* em que temos malhado desde a fundação de nosso periódico; que é: O preconceito de raça, oficialmente instituído, tem sido até hoje o joio que nos embaraça, malsinando nossas justas aspirações de cidadão brasileiro. (*O Exemplo*, n. 32, p. 1)

Nesse texto, que ocupou toda a primeira página e parte da segunda, Calisto desconstruiu os argumentos de Cardoso. Acerca da pequena participação de crianças negras nas salas de aula, restituiu sua própria trajetória para exemplificar como se processava a materialização do preconceito escolar:

> Quem escreve essas linhas frequentou a aula primária do primeiro distrito desta capital, dirigida pelo então professor público Raphael Antonio de Oliveira; e o que fazia esse funcionário?... Separava-nos para um quarto escuro contíguo à sala, onde estavam os brancos; e lá recebíamos a instrução correspondente à obumbrada luz diurna que exiguamente nos iluminava. Eis aí estabelecido o preconceito escolar, tendo por base a cor, nos afugentando das aulas públicas. (*O Exemplo*, n. 32, p. 1)

Em vez de afirmar a indolência gratuita da população negra perante a instrução pública, Calisto julgava a referida ausência nas salas de aula como consequência da organização educacional vigente, gerada e reproduzida com base em valores discriminatórios de longa data, reproduzidas em outras instâncias da sociedade. Sobre os exemplos de homens negros "chamados" a ocupar cargos públicos ou de certa responsabilidade, Esperidião Calisto reconhecia ali apenas "o triunfo do mérito sobre a inépcia; e nada mais", até porque muito se sabia das "dificuldades com que lutam nossos iguais para serem devidamente classificados no resultado dos concursos a que se inscrevem, apesar do reconhecido talento que os recomendam e do conhecimento amplo das matérias de que prestam exame". Para ilustrar o raciocínio, o redator recordava o caso de Justino Coelho da Silva Júnior, único aprovado num concurso entre 33 candidatos que não foi empossado em virtude do veto de Gaspar

Imprensa negra no Brasil do século XIX

Silveira Martins, presidente da província: "O que foi isso mais do que a explosão do preconceito estúpido de cor atuando no julgamento dos samicas (*sic*) que nos governavam, que não admitiram que um *negro* suplantasse com seu mérito incontestável a uma caterva de nulidades *caiadas*" (*O Exemplo*, n. 32, p. 2). Aproveitando o ensejo, Calisto tornava público seu juízo sobre a função desempenhada pelas "exceções honrosas" – ou "efêmeras regalias", como preferia chamar – dentro do meio social negro:

> Não devemos nos vangloriar por posições adquiridas por tão alto preço. Elas são uma espécie de injeção de cocaína com que os potentados anestesiam os brios dos homens de cor, de merecimento puramente material, a fim de abusarem da humildade do isolado proletário que não encontra uma voz autorizada que proteste contra as violências que são infringidas, que reclame por seus direitos de cidadãos brasileiros, estatuídos na constituição da República. (*O Exemplo*, n. 32, p. 2)

Era da ausência desse tipo de lucidez – e não de qualquer outra – que careceriam os homens e as mulheres negras em sua luta pelo reconhecimento democrático de seus talentos e virtudes. Calisto finalizava aquele editorial de 23 de julho, defendendo que: "Enquanto isso [a consciência das armadilhas do preconceito de raça] não acontecer, o preconceito campará com toda a ferocidade" (*O Exemplo*, n. 32, p. 2).

Para quem já estava convencido ou se convenceu com base no discurso de Esperidião Calisto, a disputa argumentativa bem que poderia terminar por ali. Contudo, depois da pausa de um número, Miguel Cardoso, no artigo "Por coerência", retomou o debate para retorquir o que chamou de "suaves acusações". Diante de todas as ocorrências de que se valeu o jornalista de *O Exemplo*, Cardoso destituiu as interpretações que identificavam o emprego de práticas racistas, substituindo-as por entendimentos que giravam em torno de disputas meramente políticas ("preconceito político"), ou da crença de que tudo aquilo não passava de lances de um passado muito distante, que nada teria a dizer sobre o que se via na República, sistema que "abominava o preconceito de raça" (*O Exemplo*, n. 34, n. 1).

"Ainda pelo dever", Esperidião Calisto daria uma última cartada. No lugar do tom respeitoso empregado no editorial de resposta às "Atualidades", apresentaria uma postura mais de acordo com a interpretada falta de seriedade assumida por Cardoso na construção do artigo anterior:

> Conquanto as considerações contidas em meu último escrito não passassem de frágeis ataduras, nas lancetadas vacilantes dadas em nossa orientação pelo amigo Miguel Cardoso, no último artigo da série que publicou, eu já esperava o "Por coerência", resultante da revolta do amor próprio, que impele a *quebrar*, mas não *torcer*, contra os protestos da consciência, que nos manda *dar as mãos à palmatória*, quando estamos em erro. (*O Exemplo*, n. 36, p. 1)

Em seus apontamentos, chega a dizer que aquele publicista confundira "alhos com bugalhos, insistindo que não existe preconceito de cor, oficial, porque não é de lei!". Cardoso não teria alcançado o raciocínio de Calisto acerca da evidente distância entre as promessas das letras e a

Imprensa negra no Brasil do século XIX

materialidade das práticas. Por isso, dessa vez, o redator de *O Exemplo* estendia-se um pouco mais quanto a essa diferenciação:

> A constituição, lei que nos iguala, não passa de mera máquina, que pode ser muito boa, mas que só se move conforme a intuição e patriotismo do encarregado de fazê-la trabalhar oficialmente: Se é bem intencionado e imparcial, gozamos de todas as regalias que a mesma constituição nos assegura; em caso contrário, a lei é vilipendiada, é letra morta ante a inépcia e retrocesso de quem se acha investido da autoridade *oficial* de distribuí-la para o povo; pois aplica-se de acordo unicamente com seus interesses partidários ou pessoais. Abundam na história exemplos de perturbação internas pela má interpretação da lei; portanto, o mal de que nos queixamos não é legal e sim puramente *oficial*; porque os indivíduos investidos de cargos oficiais procedem influenciados pelos costumes inerentes à sua origem. (*O Exemplo*, n. 36, p. 1)

Ou seja, era justamente porque a lei do ensino não excluía os alunos por serem pretos ou pardos, que o combate aos abusos que os afugentavam das escolas se tornava necessário e ao mesmo tempo possível. Esse contra-argumento seria a base para o tratamento das demais situações de discriminação.

É verdade que a última palavra foi assegurada pela opinião de *O Exemplo*. Todavia, merece realce o cuidado em manter a imagem da imprensa como tribuna pública. Os coordenadores do periódico, mesmo tendo um ponto de vista diametralmente oposto ao de Miguel Cardoso, não o impediram de se manifestar. Afora isso, parece que as diferenças entre as partes não renderam inimizade profunda, uma vez que, na época em que Miguel Cardoso perdeu seu filho recém-nascido e se encontrava com a esposa enferma, a equipe do jornal prestou condolências em uma das primeiras páginas da folha (*O Exemplo*, n. 43, p. 1).

Nesse clima propenso ao reconhecimento de perspectivas variadas, A seguir expõe-se o tratamento dispensado pelos redatores de *O Exemplo* a uma data comemorativa bastante problematizada na atualidade: o treze de maio, dia importante na história do povo negro no Brasil.

QUANDO O TREZE DE MAIO ERA "DIA DE NEGRO"

Desde que isso aconteceu já se passaram muitos anos... Foi bem antes de o Grupo Palmares, de Porto Alegre, deflagrar esforços, corroborados depois pelo Movimento Negro Unificado (MNU)[23], em nome do reconhecimento do vinte de novembro, data da morte de Zumbi dos Palmares, como o Dia

....

23. Em 1971, um grupo de intelectuais-ativistas negros de Porto Alegre reuniu-se em torno de estudos sobre a história das populações negras no Brasil, dando origem ao Grupo Palmares. Feitas algumas pesquisas, identificaram a data da morte de Zumbi dos Palmares, 20 de novembro de 1695. Segundo Oliveira Silveira (2003, p. 23), um dos membros-fundadores, "a evocação do dia Vinte de Novembro como data negra foi lançada nacionalmente pelo Grupo Palmares". A mobilização seguiu num crescendo ao longo dos anos. Em 1978, o Movimento Negro Unificado indicou em seu manifesto de lançamento a data como o Dia Nacional da Consciência Negra, num reconhecimento do trabalho iniciado no Sul.

Imprensa negra no Brasil do século XIX

Nacional da Consciência Negra. Zumbi estava longe de ser elevado à categoria de herói nacional, ou mesmo de líder dos descendentes de africanos no Brasil. Em 1893, o treze de maio, marco da abolição legal da escravatura, era data das mais importantes no calendário dos cidadãos negros. Era ocasião que, de uma só vez, trazia o passado e as aspirações de futuro. As lembranças do cativeiro estavam ainda bem latentes na memória coletiva. Essa era a imagem que dava início ao primeiro artigo da edição comemorativa de *O Exemplo*, que recobrava: "Quão inúmeros foram os tormentos, os martírios que padeceram os infortunados homens de cor preta, a quem negaram todas as ditas reservadas pelo Criador aos seres seus semelhantes e toda a pujança de sentimentos afetivos que palpitavam, com exuberância, em seus corações" (*O Exemplo*, n. 22, p. 1). Felizmente, a escravidão, "espetáculo mais estupendo de repugnantes misérias", chegara ao fim. Havia motivo para festejar. Todavia, o fato de o Brasil ter mantido por tanto tempo esse sistema de exploração do trabalho humano não escapava ao panorama construído.

Na sequência, Herculano Silva faria suas considerações. Ainda que sancionada por decreto, em seu entendimento, a abolição fora "arrancada pelo povo aos altos poderes". Portanto, os governantes "não lhes fizeram favores libertando-os, porque livres eram eles quando, contra todos os preceitos divinos e humanos, arrancaram-nos de seus lares aos braços da mais degradante condição – cativa!" (*O Exemplo*, n. 22, p. 1). A luta dos próprios escravizados justificava a louvação do articulista ao treze de maio.

Outra significação possível acerca do fim do escravismo foi dada por Sérgio Bittencourt. No artigo "Liberdade", a luta pela emancipação dos povos negros do regime escravista brasileiro vinha no bojo da difusão do "germe da Liberdade" lançado pelos franceses em 1789, e que mais tarde alcançara repercussão "em Minas, essa região opulenta do Brasil", no episódio da Inconfidência Mineira. Os mesmos ideais teriam servido de sustento às demandas abolicionistas, que se opunham à "desumanidade da escravidão":

> O abolicionismo levantou-se, confiante na vitória contra os escravocratas cruéis, miseráveis, torpes, que acumulavam nas arcas o produto do comércio de carne humana, vendendo homens como eles e como eles ciosos da própria independência; a nação inteira desprendeu um brado de indignação contra a pertinácia da realeza, que, temendo perder o trono, açulava contra a raça negra os ódios de seus argentários inimigos. (*O Exemplo*, n. 22, p. 2)

Eis que, passadas tantas contendas, veio o arremate do treze de maio de 1888. Sérgio de Bittencourt ressaltava ainda um ensinamento para ratificar o discurso da folha e, assim, finalizar sua contribuição:

> Conquistados assim os direitos, as prerrogativas de uma classe secularmente perseguida, desdenhosamente banida da comunhão social, resta-nos o dever de aconselhá-la a que procure por todos os meios dignos ocupar o lugar que lhe está reservado nos destinos da nossa amada Pátria, cuja grandeza depende imensamente da maior ou menor soma de dedicação que lhe consagremos. Saibamos honrar a memória daqueles que por nós se bateram, cujos nomes todos devemos apontar à gratidão da

Imprensa negra no Brasil do século XIX

posteridade e inscrever nos fúlgidos anais da História da Liberdade. (*O Exemplo*, n. 22, p. 2)

Marcílio Freitas também compareceu a essa edição com o artigo "O dia de hoje". Para falar da abolição, mais uma vez a Inconfidência Mineira e a figura de Tiradentes seriam lembradas. A abolição era entendida como "uma das mais brilhantes conquistas da raça negra", graças ao empenho de "homens eminentes como José do Patrocínio, o príncipe do jornalismo brasileiro, Luiz Gama, que com esforços próprios alcançou posição saliente na imprensa paulista, e outras tantas notabilidades". Em mais essa narrativa, a princesa ou a monarquia não seriam louvadas. Diante da grande pressão vinda dos próprios escravizados, contando com o apoio de abolicionistas e de parte do exército – que, "apesar das terminantes ordens do governo, de perseguir os fugitivos, se negava ao ignominioso papel de 'capitão do mato'" –, os "dominadores daquela época se lembraram de fazer baixar o decreto extinguindo a escravidão; sujeitaram-no à sanção de Isabel, presumida redentora, então princesa regente, a qual por sua vez sancionou-o, não tanto por seus sentimentos humanitários". Tratava-se, pois, de um estratagema para "cercar de prestígio as instituições já carcomidas, firmando assim o seu trono" (*O Exemplo*, n. 22, p. 2).

Contudo, os planos da monarquia, tal como argumentava Freitas, teriam ido por água abaixo, "porque os negros compreenderam que nada tinham que agradecer; pois que apenas lhes tinham restituído o que de direito lhes pertencia". E, pouco depois, veio a República, junto com a qual o "preconceito de raça" conseguiu se manter. Por isso, dizia o articulista, "dentro do novo regime, ainda cumprimos um dever combatendo o preconceito de raças; porque não está de todo abolido". De qualquer forma, o treze de maio seria saudado por duplo motivo: "já por nos ter elevado aos olhos do mundo civilizado, já por nos ter encaminhado para o regime republicano, o qual, não sendo fraudado, podemos nele, melhor do que nos ominosos tempos da monarquia, combater pelos direitos" (*O Exemplo*, n. 22, p. 2).

Esperidião Calisto não poderia deixar de proferir suas opiniões particulares, e assim o fez no artigo "Duas palavras". Embora os textos girassem em torno do mesmo tema, acompanhá-los detidamente permite visualizar a relevância de cada um em suas particularidades. Calisto, por exemplo, além do elogio a José do Patrocínio, Luiz Gama e ao "instituto racional dos escravos paulistas, que, abandonando as fazendas, se aproximaram da liberdade", trata da permanência do "preconceito de raça" na era republicana:

> Derruído o cativeiro pelo retumbar dos golpes do abolicionismo na consciência trevosa e torpe dos que mercadejavam com os seus semelhantes, sobreveio o preconceito de raça oficialmente instituído, não nas leis, mas impregnado nos costumes, o que é mais pernicioso; não tão selvagem, porém mais aviltante; porque nos obriga a mendigar aos potentados uma ressalva, para com ela no bolso, ampararmos nossa liberdade individual. (*O Exemplo*, n. 22, p. 3)

Além da percepção de um cidadão negro no pós-abolição, o texto iluminava um posicionamento diante dos desafios da época. Segundo Calisto, a conjuntura pedia uma postura de luta também renovada por parte dos homens e das mulheres negras. Em suas palavras: "Devemos festejar efusivamente a data luminosa de 13 de Maio, como início da reivindicação de nossos direitos de cidadãos brasileiros. Salve! 13 de Maio!" (*O Exemplo*, n. 22, p. 3).

Ao se observar a mobilização empregada no número dedicado ao quinto aniversário da abolição – três das quatro páginas foram reservadas às reflexões sobre o assunto –, tem-se uma razoável medida de como, em Porto Alegre, os brasileiros de origens africanas atribuíam sentidos ao marco histórico da concessão de cidadania a todos os habitantes do país. Além dos textos discutidos aqui, outros colaboradores publicaram seus artigos, notas e versos, como Alfredo Souza, Lindolpho Ramos, Hélio Silva, sempre carregados de simpatia para com a data.

Tratamento igual não teve o aniversário de quatro anos da República. No quadragésimo oitavo número, consta apenas um pequeno artigo assinado pela "Redação" e outro defendido por Marcílio Freitas, cujo título era "Data memorável". Em tempos de Revolta Federalista, "das disputas entre os partidários da república federativa e da república unitária", *O Exemplo* limitou-se a registrar sua simpatia para com a federação brasileira – no desejo de que "esse regime seja imutável no país" – e lastimar a "luta fratricida" presenciada nos conflitos (*O Exemplo*, n. 48, p. 1). Havia um mundo negro em Porto Alegre a merecer a atenção que os donos do poder não lhe concediam.

Fontes e referências bibliográficas

FONTES

Periódicos

Biblioteca Nacional – Rio de Janeiro

A Pátria – Órgão dos Homens de Cor

Aurora Fluminense

Brasileiro Pardo

Indígena do Brasil

O Cabrito

O Carioca – jornal político, amigo da igualdade e da lei

O Homem de Cor

O Jardim das Damas: periódico de instrução e recreio, dedicado ao belo sexo

O Lafuente

O Monitor das Famílias: periódico de instrução e recreio

O Mulato ou O Homem de Cor

O Progresso – Órgão dos Homens de Cor
O Ramalhete: periódico literário e crítico ilustrado

Arquivo Público Estadual Jordão Emerenciano (Apeje) – Recife

O Homem – Realidade Constitucional ou Dissolução Social

Coleção Particular de Oliveira Silveira – Porto Alegre

O Exemplo

Outros impressos

BRASIL. Coleção de Leis do Império (Câmara dos Deputados)

BRASIL. Coleção de Leis da República (Câmara dos Deputados)

BRASIL. Recenseamento do Brasil em 1872 (IBGE)

BRASIL. Recenseamento do Brasil em 1890 (IBGE)

LAFUENTE, Maurício José de. *Rebate aos editoriais do "7 de abril" e Convite para o enterro de Clemente José de Oliveira redator do "Brasil Afflicto"* (Biblioteca Nacional)

LAFUENTE, Maurício José de. *Defesa do autor contra as injustiças sofridas, 1836* (Biblioteca Nacional)

Obras literárias

ASSIS, Machado de. *Contos – Uma antologia*, v. 2. Seleção, introd. e notas John Gledson. São Paulo: Companhia das Letras, 1998.

_____. *Comentários da semana.* Org. Lúcia Granja e Jefferson Cano. Campinas: Editora da Unicamp, 2008.

BRITO, Paula. *Poesias de Francisco de Paula Brito.* Biografia e org. Manoel Duarte Moreira de Azevedo. Rio de Janeiro: Tipografia Paula Brito, 1863.

GAMA, Lopes. *O Carapuceiro: crônicas de costumes.* Org. Evaldo Cabral de Mello. São Paulo: Companhia das Letras, 1996.

Imprensa negra no Brasil do século XIX

REFERÊNCIAS BIBLIOGRÁFICAS

ALENCASTRO, Luiz Felipe de. "Vida privada e ordem privada no Império". In: ALENCASTRO, Luiz Felipe de (org.). *História da vida privada no Brasil: Império*. São Paulo: Companhia das Letras, 1997.

ALVES, Nereidy Rosa. "Floresta Aurora: 130 anos de história". In: ASSOCIAÇÃO RIO-GRANDENSE DE IMPRENSA. *O povo negro no Sul*. Porto Alegre: Associação Rio-Grandense de Imprensa, 2002.

AZEVEDO, Célia Maria Marinho de. "A recusa da 'raça': antirracismo e cidadania no Brasil dos anos 1830". *Horizontes Antropológicos*, Porto Alegre, ano 11, n. 24, jul./dez. 2005.

_____. "Irmão ou inimigo: o escravo no imaginário abolicionista dos EUA e do Brasil". *Revista USP*, São Paulo, n. 28 (Povo Negro), dez. 1995-fev. 1996.

_____. *Onda negra, medo branco – O negro no imaginário das elites século XIX*. 2. ed. São Paulo: Annablume, 2004.

AZEVEDO, Elciene. *Orfeu de carapinha: a trajetória de Luiz Gama na imperial cidade de São Paulo*. Campinas: Editora da Unicamp, 1999.

AZEVEDO, Manoel Duarte Moreira de. "Biographia". In: BRITO, Paula. *Poesias de Francisco de Paula Brito*. Biografia e organização de Manoel Duarte Moreira de Azevedo. Rio de Janeiro: Tipografia Paula Brito, 1863.

BAHIA, Juarez. *Jornal, história e técnica*. São Paulo: Martins, 1967.

BARRERAS, Maria José Lanziotti. *Dario de Bittencourt (1901-1974): uma incursão pela cultura política autoritária gaúcha*. Porto Alegre: ediPUCRS, 1998.

BASTIDE, Roger. "A imprensa negra do estado de São Paulo". In: *Estudos afro-brasileiros*. São Paulo: Perspectiva, 1973.

BASTIDE, Roger; FERNANDES, Florestan. *Negros e brancos em São Paulo: ensaio sociológico sobre aspectos da formação, manifestações atuais e efeitos do preconceito de cor na sociedade paulistana*. 4. ed. São Paulo: Global, 2008.

BERNARDO, Teresinha. *Memória em branco e negro: olhares sobre São Paulo*. São Paulo: Educ; Fundação Editora da Unesp, 1998.

BITTENCOURT JÚNIOR, Iosvaldyr Carvalho. "Territórios negros". In: SANTOS, Irene (org.). *Negro em preto e branco: história fotográfica da população negra de Porto Alegre*. Porto Alegre: Edição do Autor, 2005.

CANDIDO, Antonio. *Literatura e sociedade*. 8. ed. São Paulo: T. A. Queiroz/Publifolha, 2000.

CARNEIRO, Édison. "A Lei do Ventre-Livre". *Revista Afro-Ásia*, Salvador, UFBA/Ceao, n. 13, 1980.

CARVALHO, José Murilo de. "Com o coração nos lábios". In: PATROCÍNIO, José do. *A Campanha Abolicionista – Coletânea de artigos*. Rio de Janeiro: Fundação Biblioteca Nacional, 1996.

_____. "Cavalcantis e cavalgados: a formação das alianças políticas em Pernambuco, 1817-1824". *Revista Brasileira de História*, São Paulo, Anpuh, v. 18, n. 36, 1998a.

_____. "O encontro da 'soldadesca desenfreada" com os 'cidadãos de cor mais levianos' no Recife em 1831'. *Clio – Revista do Programa de Pós-Graduação em História da Universidade Federal de Pernambuco*, Recife, v. 1, n. 18, 1998b.

CARVALHO, Marcus J. M. de. "Os nomes da Revolução: lideranças populares na Insurreição Praieira, Recife, 1848-1849". *Revista Brasileira de História*, São Paulo, Anpuh, v. 23, n. 45, 2003.

CASTRO, Jeanne Berrance de. *A milícia cidadã: a Guarda Nacional de 1831-1850*. 2. ed. São Paulo: Nacional, 1979.

CASTRO, Paulo Pereira de. "A 'experiência republicana', 1831-1840". In: HOLANDA, Sérgio Buarque de (dir.). *História Geral da Civilização Brasileira* – Tomo II: O Brasil monárquico, vol. 4, Dispersão e unidade. 8. ed. Rio de Janeiro: Bertrand Brasil, 2004.

CHALHOUB, Sidney. *Visões da liberdade – Uma história das últimas décadas da escravidão na corte*. São Paulo: Companhia das Letras, 1990.

Chalhoub, Sidney. *A nova abolição*. São Paulo: Selo Negro, 2008.

Domingues, Petrônio. *Uma história não contada: negro, racismo e branqueamento em São Paulo no pós-abolição*. São Paulo: Senac, 2004.

Duarte, Paulo. *História da imprensa em São Paulo*. São Paulo: ECA/USP, 1972.

Farias, Juliana *et al. Cidades negras: africanos, crioulos e espaços urbanos no Brasil escravista, século XIX*. Rio de Janeiro: Alameda, 2006.

Ferrara, Miriam Nicolau. *A imprensa negra paulista (1915-1963)*. São Paulo: FFLCH/USP, 1986.

Flory, Thomas. "Race and social control in independent Brazil". *Journal of Latin American Studies*, v. 9, n. 2, nov. 1977.

Fonseca, Marcus Vinícius. "Pretos, pardos, crioulos e cabras nas escolas mineiras do século XIX". In: Romão, Jeruse (org.). *História da educação do negro e outras histórias*. Brasília: Secad/MEC, 2005.

Fonseca, Paloma Siqueira. *A presiganga real (1808-1831): punições da Marinha, exclusão e distinção social*. 2003. Dissertação (Mestrado em História) – Instituto de Ciências Humanas, Universidade de Brasília, Brasília, Distrito Federal.

Gomes, Flávio. "A nitidez da invisiblidade: experiências e biografias ausentes sobre raça no Brasil republicano". In: Salgueiro, Maria Aparecida Andrade (org.). *A República e a questão do negro no Brasil*. Rio de Janeiro: Museu da República, 2005a.

_____. *Negros e política (1888-1937)*. Rio de Janeiro: Jorge Zahar, 2005b.

_____. *Histórias de quilombolas: mocambos e comunidades de senzalas no Rio de Janeiro, século XIX*. Ed. rev. ampl. São Paulo: Companhia das Letras, 2006.

Gondim, Eunice Ribeiro. *Vida e obra de Paula Brito: iniciador do movimento editorial no Rio de Janeiro (1809-1861)*. Rio de Janeiro: Livraria Brasiliana, 1965.

GRINBERG, Keila. *O fiador dos brasileiros: cidadania, escravidão e direito civil no tempo de Antonio Pereira Rebouças*. Rio de Janeiro: Civilização Brasileira, 2002.

KARASCH, Mary. *A vida dos escravos no Rio de Janeiro (1808-1850)*. São Paulo: Companhia das Letras, 2000.

KRISTENSEN, Christian Haag; ALMEIDA, Rosa Maria Martins de; GOMES, William Barbosa. "Desenvolvimento histórico e fundamentos metodológicos da neuropsicologia cognitiva". *Psicologia: Reflexão e Crítica*, Porto Alegre, v. 14, n. 2, 2001.

LIMA, Ivana Stolze. *Cores, marcas e falas: sentidos da mestiçagem no Império do Brasil*. Rio de Janeiro: Arquivo Nacional, 2003.

LUZ, Itacir Marques da. *Compassos letrados: profissionais negros entre instrução e ofício no Recife (1840-1860)*. 2008. Dissertação (Mestrado em Educação) – Centro de Educação, Universidade Federal da Paraíba, João Pessoa, Paraíba.

MAC CORD, Marcelo. *Andaimes, casacas, tijolos e livros: uma associação de artífices no Recife, 1836-1880*. 2009.Tese (Doutorado em História) – Instituto de Filosofia e Ciências Humanas, Universidade Estadual de Campinas, São Paulo.

MACHADO, Maria Helena. *O plano e o pânico: os movimentos sociais na década da Abolição*. Rio de Janeiro: Editora UFRJ/Edusp, 1994.

MAIA, Clarisse Nunes. *Policiados: controle e disciplina das classes populares na cidade do Recife, 1865-1915*. 2001. Tese (Doutorado em História) – Universidade Federal de Pernambuco, Recife, Pernambuco.

MATTOS, Hebe. "Da guerra preta às hierarquias de cor no Atlântico português". *Anais do XXIV Simpósio Nacional de História*, São Leopoldo, 2007. Disponível em: < snh2007.anpuh.org/resources/content/anais/Hebe%20Mattos.pdf > . Acesso em: 31 mar. 2009.

_____. *Escravidão e cidadania no Brasil monárquico*. Rio de Janeiro: Jorge Zahar, 2000.

MORAES, Evaristo de. *A campanha abolicionista: 1879-1888*. 2. ed. Brasília: Editora UnB, 1986.

MORAES, Paulo Ricardo de. A imprensa negra gaúcha: a voz que não cala. In: ARI. *O povo negro no Sul*. Porto Alegre: Associação Rio-Grandense de Imprensa (ARI), 2002.

MOREL, Marco. *O período das Regências (1831-1840)*. Rio de Janeiro: Jorge Zahar, 2003.

MOURA, Clóvis. *História do negro brasileiro*. São Paulo: Ática, 1992.

MUNANGA, Kabengele. *Rediscutindo a mestiçagem no Brasil – Identidade nacional versus identidade negra*. Belo Horizonte: Autêntica, 2004.

NASCIMENTO, Luiz do. *História da Imprensa de Pernambuco* (1821-1954), v. VI (Periódicos do Recife – 1876-1900). Recife: Editora da Universidade Federal de Pernambuco, 1972.

NEGRO, Antonio Luigi; GOMES, Flávio dos Santos. "Além das senzalas e fábricas: uma história social do trabalho". *Tempo Social – Revista de sociologia da USP*, v. 18, n. 1, jun. 2006.

PAPALI, Maria Aparecida Chaves Ribeiro. *Escravos, libertos e órfãos: a construção da liberdade em Taubaté (1871-1895)*. São Paulo: Annablume/Fapesp, 2003.

PEDROZA, Alfredo Xavier. *Letras católicas em Pernambuco*. Rio de Janeiro: Cruzada da Boa Imprensa, 1939.

PINTO, Estevão. *Pernambuco no século XIX*. Recife: Imprensa Industrial, 1922.

PIRES, Antônio Liberac Cardoso Simões. *As associações dos homens negros de cor e a imprensa negra paulista: movimentos negros, cultura e política no Brasil republicano (1915-1945)*. Belo Horizonte: Daliana, 2006.

PROENÇA FILHO, Domício. "Prefácio". In: SOUZA, Antonio Gonçalves Teixeira e. *O filho do pescador*. Rio de Janeiro: Artium, 1997.

REIS, João José e SILVA, Eduardo. *Negociação e conflito – A resistência negra no Brasil escravista*. São Paulo: Companhia das Letras, 1989.

RIBEIRO, Gladys Sabina. *A liberdade em construção: identidade e conflitos antilusitanos no Primeiro Reinado*. Rio de Janeiro: Relume Dumará/Faperj, 2002.

SÁ BARRETO JÚNIOR, Jurandir Antônio. *Raça e degeneração: análise do processo de construção da imagem dos negros e mestiços, a partir de artigos publicados na Gazeta Médica Baiana (1880-1930)*. Salvador: Editora da Uneb, 2005.

SANTOS, Carlos José Ferreira. *Nem tudo era italiano: São Paulo e pobreza (1890-1915)*. São Paulo: Annablume, 1998.

SANTOS, Gislene Aparecida dos. *A invenção do ser negro: um percurso das ideias que naturalizavam a inferioridade dos negros*. São Paulo: Educ/Fapesp; Rio de Janeiro: Pallas, 2002.

_____. "Intelectuais negros e imprensa no Brasil meridional". *Irohin*, Brasília, ano XI, n. 16, abr./maio 2006.

SANTOS, José Antônio dos. "Intelectuais negros e imprensa no Rio Grande do Sul: uma contribuição ao pensamento social brasileiro". In: SILVA, Gilberto Ferreira da e SANTOS, José Antônio (orgs.). *RS negro: cartografias sobre a produção do conhecimento*. Porto Alegre: ediPUCRS, 2008.

SANTOS, Lucimar Felisberto dos. *Cor, identidade e mobilidade social: crioulos e africanos no Rio de Janeiro (1870-1880)*. 2006. Dissertação (Mestrado em História) – Instituto de Ciências Humanas e Filosofia, Universidade Federal Fluminense, Niterói, Rio de Janeiro.

SCHWARCZ, Lilia Moritz. *O espetáculo das raças – Cientistas, instituições e questão racial no Brasil (1870-1930)*. São Paulo: Companhia das Letras, 1993.

SEYFERTH, Giralda. "A colonização e a questão racial nos primórdios da República". In: SALGUEIRO, Maria Aparecida Andrade (org.). *A República e a questão do negro no Brasil*. Rio de Janeiro: Museu da República, 2005.

SILVA, Jônatas Conceição da. *Vozes quilombolas: uma poética brasileira*. Salvador: EDUFBA/Ilê Aiyê, 2004.

SILVA, Leonardo Dantas. *A imprensa e a abolição*. Recife: Fundaj; Massangana, 1988.

SILVEIRA, Oliveira. "Três coleções preservam jornal da comunidade negra". *Correio do Povo*, Porto Alegre, p. 22, 8 out. 1972.

_____. "Vinte de Novembro: história e conteúdo". In: GONÇALVES, Petronilha Beatriz Gonçalves; SILVÉRIO, Valter Roberto (orgs.). *Educação e ações afirmativas: entre a injustiça simbólica e a injustiça econômica*. Brasília: Inep, 2003.

SLENES, Robert. *Na senzala uma flor – Esperanças e recordações na formação da família escrava*. Rio de Janeiro: Nova Fronteira, 1999.

SODRÉ, Nelson Werneck. *História da imprensa no Brasil*. 4. ed. Rio de Janeiro: Mauad, 1999.

SOUSA, Jorge Prata de. *Escravidão ou morte: os escravos brasileiros na Guerra do Paraguai*. Rio de Janeiro: Mauad; Adesa, 1996.

SOUZA, Florentina da Silva. *Afro-descendência em Cadernos Negros e Jornal do MNU*. Belo Horizonte: Autêntica, 2005.

VIANNA, Hélio. *Contribuição à história da imprensa brasileira (1812-1869)*. Rio de Janeiro: Imprensa Nacional, 1945.

WISSENBACH, Maria Cristina Cortez. *Sonhos africanos, vivências ladinas: escravos e forros em São Paulo (1850-1880)*. São Paulo: Hucitec/História Social-USP, 1998.

---------- dobre aqui ----------

CARTA-RESPOSTA
NÃO É NECESSÁRIO SELAR

O SELO SERÁ PAGO POR

C AVENIDA DUQUE DE CAXIAS
1214-999 São Paulo/SP

---------- dobre aqui ----------

IMPRENSA NEGRA NO BRASIL DO SÉCULO XIX

------ recorte aqui ------

CADASTRO PARA MALA DIRETA

Recorte ou reproduza esta ficha de cadastro, envie completamente preenchida por correio ou fax, e receba informações atualizadas sobre nossos livros.

Nome: _____ Empresa: _____
Endereço: ☐ Res. ☐ Com. _____ Bairro: _____
CEP: _____ - _____ Cidade: _____ Estado: _____ Tel.: ( ) _____
Fax: ( ) _____ E-mail: _____
Profissão: _____ Professor? ☐ Sim ☐ Não Disciplina: _____
Grupo étnico principal: _____ Data de nascimento: _____

1. Onde você compra livros?
☐ Livrarias ☐ Feiras
☐ Telefone ☐ Correios
☐ Internet ☐ Outros. Especificar: _____

2. Onde você comprou este livro? _____

3. Você busca informações para adquirir livros por meio de:
☐ Jornais ☐ Amigos
☐ Revistas ☐ Internet
☐ Professores ☐ Outros. Especificar: _____

4. Áreas de interesse:
☐ Autoajuda ☐ Espiritualidade
☐ Ciências Sociais ☐ Literatura
☐ Comportamento ☐ Obras de referência
☐ Educação ☐ Temas africanos

5. Nestas áreas, alguma sugestão para novos títulos?
_____
_____

6. Gostaria de receber o catálogo da editora? ☐ Sim ☐ Não

Indique um amigo que gostaria de receber a nossa mala direta

Nome: _____ Empresa: _____
Endereço: ☐ Res. ☐ Com. _____ Bairro: _____
CEP: _____ - _____ Cidade: _____ Estado: _____ Tel.: ( ) _____
Fax: ( ) _____ E-mail: _____
Profissão: _____ Professor? ☐ Sim ☐ Não Disciplina: _____

Selo Negro Edições
Rua Itapicuru, 613 7º andar 05006-000 São Paulo - SP Brasil Tel. (11) 3872-3322 Fax (11) 3872-7476
Internet: http://www.selonegro.com.br e-mail: selonegro@selonegro.com.br

cole aqui